D1056290

Je suis comme une truie qui doute

Ouvrages de
Claude Duneton

AUX MÊMES ÉDITIONS

Je suis comme une truie qui doute, *1976*

Anti-manuel de français
(en collaboration avec J.-P. Pagliano), *1978*
coll. « Points Actuels », *1980*

AUX ÉDITIONS STOCK

Parler croquant, *1973*

Claude Duneton

Je suis comme une truie qui doute

Éditions du Seuil

EN COUVERTURE : illustration Daniel Maja.

ISBN 2-02-00-5076-5.
(ISBN 2-02-004484-6, 1re publication.)

Je remercie tous ceux qui m'ont aidé à voir clair, les élèves et les amis dont il est question dans ces pages, et aussi ceux qui, par leurs critiques et leurs conseils, en gros en me tenant patiemment le crachoir pendant de longues heures m'ont aidé à établir la matière de ce livre :

Gérard Clerfayt, Gérard Guérin

ainsi que : Henri et Marinette Cueco

Quand mon père est devenu vieux ma mère lui criait toujours : « Jaaa...qué!... Jaaa...qué!... » Il était pas sourd. Seulement ça faisait cinquante ans qu'elle l'appelait. Il faisait semblant de pas entendre.
Mon fils aîné avait trois ans. Quand on lui demandait : « Comment il s'appelle ton pépé? » il prenait une grande respiration et hurlait consciencieusement : « Jaaa...qué! »...

Je dédie ce livre à la mémoire de
JACQUES D.

1

Les bordels d'Hambourg

— Je voudrais qu'y ait la guerre...

C'est Maud qui a dit ça, d'un air tranquille, du fond de la classe. Elle souriait... On parlait tout à fait d'autre chose mais ça la gênait pas beaucoup Maud, elle savait jamais de quoi il était question. Elle venait à l'école comme tous les autres, parce qu'elle n'avait pas l'âge d'aller ailleurs; parce que sa mère l'injuriait; parce que la vie commence comme ça, par de longues heures d'attente assis en face d'un tableau noir...

Certains jours elle disait rien du tout. Quatorze ans, déjà mûre, elle n'attendait que le soir, butée dans ses colères à elle. D'autres jours elle était intenable, agaçant tout, insupportable même aux copains... Mais sa force de caractère était suffisante, elle n'apprenait jamais une leçon. Elle refusait tout calmement d'ingurgiter quoi que ce soit.

Une idiote? — Pas sûr!... Ce qui m'étonnait c'était son sourire, cet air de se foutre ouvertement du monde; cette brillance dans l'œil quand elle passait près de moi, quand elle marchait dans la classe, traînant les pieds, au rythme qu'elle avait choisi. Toute sa personne disait « je vous emmerde », avec une étrange dose de gentillesse en même temps...

— M'sieur...

— Oui Maud?

— J'voudrais qu'y ait la guerre.

Elle a dit ça dans un silence, d'une voix posée. Ça n'avait aucun rapport avec rien, mais pour une fois qu'elle voulait parler j'avais bien le temps.

— Pourquoi tu dis ça?

— J'sais pas... On s'amuserait bien. Y aurait des bombes qui éclateraient partout. On entendrait des sirènes... On se mettrait à courir dans les rues, ce serait bien!

Elle s'inventait, les yeux aux anges, des sensations façon Viet-Nam. Les autres se sont mis à rêver... La guerre! Ça leur faisait des ronds dans la tête, ils avaient des visions. Le silence n'avait jamais été aussi profond.

— Y aurait des soldats partout m'sieur, avec des mitraillettes. Des tanks, tout ça... Y faudrait se cacher dans les caves. On aurait peur, ce serait rigolo!

— Qu'est-ce qui te fait penser à ça, là maintenant?

— J'sais pas... Comme ça. J'y pensais quoi!

Moi aussi du coup je rêvais. Je démarrais en flache-baque pour bien comprendre, m'imaginer son curieux sentiment. Il me revenait des petites choses, moments de haute palpitation... La fois où on avait couru, avec Dédé, en 44, pour fuir la colonne allemande, dans les bois de Fouilloux. Les camions s'étaient arrêtés sur la route, les chenilles, le canon 75. Ils avaient tiré tout le matin dans les bois pour déloger les maquis. On croyait qu'ils avaient fini, qu'ils s'en allaient. Et puis ils se sont arrêtés sur la route, devant chez nous. La peur nous a repris, on s'est sauvé. Nous ne savions pas encore à l'époque que c'était ceux qui avaient fait Oradour, dix jours avant, mais on fuyait en confiance, tous les deux, mon copain et moi, d'instinct, à toutes jambes. Depuis les premiers millénaires, sous toutes les latitudes des hommes viennent périodiquement vous égorger, vous déloger, vous étrangler, vous faire griller. A pied, à cheval, en hélicoptère, ce sont les mêmes depuis des milliers d'années, la veine d'Oradour-sur-Glane, de My-Ly, de partout... Les enfants c'est jeune, ça sait. Par héritage profond des gamètes, depuis toujours, ça se sent gibier.

Les parents étaient restés à la ferme là-haut, au bord de la route, barricadés dans la cuisine. Je lançais des coups d'œil en arrière sur la colonne sombre, à travers les feuillages des châtaigniers.

— Tu te dépêches oui ou merde!

Dédé s'est mis en colère parce qu'à son avis je lambinais. Il criait en plus. C'est un miracle qu'ils ne nous aient pas descendus, les Das Reich, au juger, en voyant bouger du monde dans les taillis...

— C'est dangereux tu sais Maud.

— Ça fait rien... On viendrait pas à l'école. D'abord y aurait plus d'école! Baoum!...

Le geste. La raison. La révolte contre l'intenable, l'éveil des instincts... Elle était gentille pourtant Maud, elle effaçait tout le temps le tableau. Elle allait mouiller l'éponge, vider la corbeille à papier... Un petit travail de ses mains et elle devenait serviable. Y avait qu'à demander...

— Bien sûr, mais si t'étais tuée?

J'imaginais son corps en flaque tout à coup, affalé sur un trottoir la bouche ouverte, comme à la télé.

— Hein? Tu pourrais être tuée?

Elle a eu encore un sourire égal, à décrocher ma philosophie :

— De toute façon, moi, vous savez... J'aurai pas une belle vie, alors...

C'était l'année où j'avais des Transitions en anglais, classes de cinquième de treize-quatorze ans, ceux qui n'ont pas pu suivre le train des choses normales et qu'on met à part, en transit entre rien et rien, parce que l'école est obligatoire et qu'il faut faire semblant de penser qu'ils font eux aussi des études. On les fait venir pour retarder leur entrée dans la vie de tous les jours, pour réduire le seuil du chômage légal. Pour faire plaisir aux parents. Eux, les mômes, ils ne sont pas dupes, ils attendent d'avoir seize ans, de pouvoir partir, comme les taulards attendent la fin de leur peine. Mais les parents s'accrochent encore. Les mères, ça espère longtemps... Elles voudraient tant que leurs enfants prennent du grade, qu'ils leur changent la vie. Puisque l'enseignement est totalement démocratique soi-disant, qu'il n'y a qu'à saisir sa chance au vol... Elles ont un sursaut d'énergie au moment où rien ne va plus. Des fois que tout à coup ils mettraient de l'ordre dans leurs méninges, qu'ils finiraient, bonne fée, par rattraper le lancinant retard qui dure depuis le Cours élémentaire!

Sa mère à Maud je la voyais de temps en temps, entre deux cours. Elle balayait l'école du haut, femme de service en blouse bleue. Elle m'accrochait sur sa fille au passage.

— Maud, ça va?...

Je prenais un air dubitatif et navré.

— Ah je sais bien qu'elle est feignante. Secouez-la, monsieur, secouez-la!...

Je lui avais un peu expliqué. Qu'elle n'aille pas se faire trop d'illusions. J'avais dit lâchement que l'anglais, après tout, ça n'était pas si vital que ça... Mais elle faisait semblant d'espérer, avec un reproche dans l'œil, la mère, que j'étais trop doux aussi, pas assez tambour battant :

— Il faut être dur avec elle!

Je promettais. Une vieille habitude que j'ai. J'en ai tellement promis des paires de claques, au fil des ans! Des mères porteuses de torgnoles — « Secouez-le! N'ayez pas peur, monsieur, battez-le! »... Des mamans au menton mauvais : « Ne lui passez rien surtout! Quand il aura reçu sa volée, il vous écoutera, y a que comme ça! »... Si j'en ai promis des raclées, très poliment, pour faire plaisir! — Au début je les donnais aussi, c'était encore autre chose — à tour de bras.

Là, dans le cas présent, je me voyais mal secouer Maud pour lui apprendre How are you? Nice morning, et tout le reste. Il y avait un tel décalage entre mes cours piteux inspirés de la méthode Assimil et les états d'âme de mes lascars de Transition — leurs perspectives de laveurs de carreaux, de pompistes à la petite semaine, valets de toutes les fabriques... Les apprenties cousettes. Des divergences tellement énormes entre ma culture anglo-saxonne et leur avenir bouché que c'était grotesque mes efforts.

Ils me le disaient d'ailleurs, très franchement, entre nous comme ça, aux interclasses :

— Vous êtes sympa m'sieur, mais qu'est-ce que vous venez foutre avec nous?

Marc m'expliquait. Il avait un langage châtié :

— Nous m'sieur, on est des cloches, des attardés mentaux!

— Ta gueule! Moi je suis un « cas social! » — Un petit maigre qui rectifiait. — C'est pas pareil, hein m'sieur?

Ils rigolaient des formules de l'Administration. Marc faisait des ronds de bouche, singeant l'officiel, le maître, le psychologue :

— Je sais, je sais... Ainsi mon cher, pour mon cas personnel, je suis un caractériel!

Ils avaient tous eu vent de leurs dossiers, ils tâchaient de me faire comprendre :

— Vous vous donnez du mal pour rien avec nous. Vous avez de l'instruction, vous devez bien vous rendre compte! Vous savez vachement bien l'anglais, tout ça, il vous faut des élèves à la hauteur... Des classiques, m'sieur, des rupins, des mecs chics quoi, des Troisièmes...

Lui, il voulait être cuisinier. Ça l'intéressait. Il

avait une place en vue, pour tout de suite, des amis de la famille qui l'attendaient... Il était furieux d'avoir encore deux ans d'école, pendant lesquels il ne ferait strictement rien :

— Deux ans à voir la sale gueule des profs, vous vous rendez compte ! — Je dis pas ça pour vous, m'sieur... — Non mais, sans déconner, c'est pas révoltant ?

Il me demandait mon avis. Il était costaud, habile, plein d'humour. Il s'enfuyait aux casseroles dès qu'il avait deux jours de vacances, mais ça ne faisait que réchauffer son indignation.

— Deux ans m'sieur, le cul sur une chaise ! Vous croyez qu'ils sont pas complètement cons ?

Il riait plus. Il me prenait à témoin. Pour une fois qu'il avait quelqu'un d'en face qui l'écoutait, il voulait voir si on était tous aussi tordus de l'autre côté. Et lucide en plus, terriblement :

— Parce que pour l'instant, bon, j'ai envie de bosser. Mais dans deux ans si ça se trouve j'aurai plus envie de rien foutre... Vous voyez ce que je veux dire ?... Ça se peut que dans deux ans, comme j'aurai pas commencé, j'aie plus envie d'être cuistot ni rien du tout... Je me fais trop chier moi ! Je vais piquer des bagnoles, j'sais pas... Quelque chose !... Dans deux ans je serai peut-être en taule !

Je comprenais. C'est bien là le drame d'ailleurs. L'enseignement est un métier où il vaut mieux ne pas comprendre. Dès que l'on commence à admettre que les gosses qui sont en face de vous pourraient à la rigueur se passer de vos services, vous êtes foutu ! C'est un métier où il faut être buté, muré dans des certitudes, sinon l'engrenage du doute vous saisit, vous entraîne en des réflexions de plus en plus aiguës, déprimantes. C'est le cauchemar qui commence.

J'avais fini par m'occuper de quatre ou cinq méritants qui avaient tout de même un peu d'espoir; ceux à qui on faisait miroiter le recyclage en Quatrième d'accueil. Deux petites filles très appliquées, qui écoutaient tout, qui voulaient tout apprendre, à pleurer de bonne volonté. Et puis deux garçons futés, un peu instables mais doués, qui me posaient des tas de questions :

— Comment ça se dit m'sieur, soutien-gorge, en anglais?

— Bra.

— Bras? ... Eh les mecs! Eh Jojo! T'sais comment c'est soutien-gorge?...

Jojo du coup ça l'intéressait nos bavettes, il levait le nez de sur sa bataille navale.

— Et quand c'est des gros m'sieur, c'est les gros bras?

— Mais non connard, c'est les big bras! Gros c'est pas anglais. Hein m'sieur? Big, là, comme ça...

Geste à l'appui. Ça rigolait dur dans les rangs. Ça fusait, on n'en finissait plus.

— Comme Nathalie! Nathalie, elle en a des gros.

— P'tit con!...

Nathalie rougissait quand même. Et sa copine vitupérait d'un air ravi : « Y z-exagèrent m'sieur. » Elle attisait pour qu'on s'intéresse à son cas, que les choses virent un peu à la fesse...

— Du calme, allons, du calme...

Il fallait limiter les dégâts.

Bien sûr j'aurais pu leur faire la gueule. Les faire marner sur des sottises : sur le nez d'Untel qui est plus long que le nez de Chose, mais plus court, toutefois, que celui de Machin! J'aurais pu... What is this?... Baguette en main leur montrer des sornettes, des rien du tout : le bout de la table, une gomme, un crayon... Des choses pas intéressantes — What's this?... Mon soulier! — Pas de quoi en tomber à la renverse de surprise et d'admiration! Les plonger, bouquin ouvert, dans les écritures, les pénibles macérations des rudiments... C'était par trop dérisoire. Déjà qu'ils savaient pas écrire trois mots en français banal! Qu'ils se paumaient dans leurs multiplications... J'avais pas le cœur.

— Elle a raison m'sieur, Maud... Si y avait la guerre ce serait marrant!

Ils en étaient restés aux rêves, aux palpitations d'angoisse. Régis, qui voulait être flic ou gangster, au choix, pour tuer du monde. Il m'en causait aux récréations très sérieusement, avec son visage poupin, souriant :

— C'est pas des blagues! Dans ma vie je veux avoir l'occasion de tuer quelqu'un. Alors y a que ça. Dans la police ça arrive qu'ils butent des mecs... Ou alors gangster!... Dans la banque : on braque la caisse!... Ta ta ta ta!...

J'aurais dû trancher dans le vif, ramener le monde aux belles images du manuel, faire péter les comparatifs... Je pouvais pas. Il aurait fallu être carrément imbécile, ou inconscient comme je l'étais jadis, pour les buter sur John and Betty, sur la bonne qui aide au ménage, sur la vie quiète des enfants de Londres et de riches... Leurs mamans à eux, elles étaient toutes bonniches plus ou moins. John et Betty, ils ont une maman rentière au foyer, qui époussette des tas de trucs, qui a l'air jolie, qui se beurre jamais la gueule — du moins c'est pas écrit. Ils ont un papa qui travaille à la City vaguement, qu'est sapé comme un prince, qui a un bureau chez lui, une pièce à part : un study!

Moi je sens très bien le décalage, personnellement. Ça n'est pas de l'intuition divine : à leur âge j'habitais la campagne, dans une maison à deux pièces aménagées et deux débarras. On élevait des oisons à côté de la bedroom, des dindons, à même les planches. Dans la cave, sous le plancher de la cuisine, il y avait les poules, les oies, et de temps en temps un cochon. Une vague odeur baignait notre « coin séjour » en permanence, notre living-room formidable où flottait une fumée âcre qui laissait une couche de suie au plafond. La cheminée fumait tellement qu'on était obligé de laisser la fenêtre ouverte, par beau temps comme par moins quinze, et quelquefois la porte aussi, en plein hiver, si le vent soufflait vraiment mal.

Je me plains pas mais je constate. Si on m'avait mis sous les yeux à l'époque les petits Wilson si polis, qui doivent faire bien attention de ne pas abîmer le tapis de salon et toutes ces sortes de choses, il y aurait eu un écart! Une divergence aussi profonde entre ces images-là et ma vie, qu'avec les images pieuses qu'on avait chez nous, où Jésus fait sa sieste sur un nuage, tandis que sainte Thérèse effeuille des roses en pluie. Ça aurait été le Pays des Merveilles ce livre d'anglais : le gamin, la gamine, chacun sa petite chambre particulière, avec plein de jolis meubles autour! Décrire tout ça, la bathroom... Heureusement que je ne faisais pas encore d'études, j'ai dû voir ma première salle de bains à quinze ans, en ville, en me promenant, ça m'aurait posé des problèmes la nomenclature en anglais. C'est marrant les manuels, l'idéal qu'ils transportent : nous on pissait toujours dehors, à l'aise, ou bien alors par la fenêtre, s'il pleuvait vraiment trop fort.

C'est-à-dire que les livres de classe présentent la société sous un angle bien déterminé; sous prétexte de vie quotidienne et de condition moyenne ils offrent aux enfants attentifs un univers essentiellement petit-bourgeois. Le monde du travail en est formellement absent. Les pères n'ont jamais un métier pénible, souvent ils n'ont aucun métier du tout; de vagues allusions à des professions libérales, c'est tout. Pas de problèmes de fins de mois. Jamais une revendication, jamais une grève. Y en a pourtant en Grande-Bretagne, on pourrait en causer, même dans le style débutant : Today John's father is not working. He is on strike. He and his mates attend a meeting which is organized by their Trade-Union... Oui mais « strike, trade-union » ne sont pas des termes du manuel et, au lieu d'assister à une réunion syndicale, on y assiste normalement à un concert — attend a concert. Évidemment ça n'est pas la même musique, et si le livre ne parle jamais de la vie réelle d'un besogneux quelconque, par contre il présente rituellement la reine d'Angleterre, sa vie, ses petits princes, comme n'importe quelle revue illustrée. C'est la même veine que *Jour de France* à la qualité des images près.

Cet univers douillet et sans heurt, cette organisation matérielle de la vie quotidienne correspond en effet à ce que connaissent la majorité des enfants de cadres : maison individuelle, jardinet, la petite aisance tranquille... Beaucoup de familles y ont sans doute accédé; depuis dix ou quinze ans les campagnes se sont modernisées; un nombre croissant d'élèves entre aujourd'hui dans le manuel de plain-pied. Oui mais les autres? Les fils des cheminots, des facteurs, des vendeuses?... Et ceux qui couchent à quatre par piaule? Comment se fait-il qu'on ne puisse présenter aussi pour eux la vie d'un O'Flagada quelconque, paysan irlandais en rupture d'île et de lande, qui va travailler dans les usines à Londres? Et sa sœur qui est infirmière à Blackpool?... Leur vie dans une banlieue ouvrière, le pub, le chantier?... De quoi a-t-on peur à montrer la vie des O'Flagada?

On me dira : quelle importance? Voilà bien des poils sur les œufs!... C'est vrai, il est tellement admis que le savoir s'adresse par tradition à une classe sociale définie que personne ne songe à s'étonner. Je n'ai jamais vu un groupe de profs discuter les mérites d'une nouvelle publication sur ce terrain-là. Ni moi non plus.

Oh ni moi non plus pendant longtemps!... On papote dans la salle des professeurs, on juge de la progression grammaticale, du vocabulaire présenté, de la commodité des exercices, de l'astuce de la méthode, de tout... Sauf du contenu du livre! — Et pourtant...

Pourtant l'enfant tire des conclusions inattendues, du genre : pour bien parler anglais, il faut avoir une bonne. Par conséquent c'est pas pour moi. — Cela intuitivement bien sûr; c'est diffus, ça n'est pas raisonné. C'est seulement là en filigrane... Mais le môme, il a des yeux partout! — D'autant que ça le frappe pas, lui, la structure grammaticale de l'ouvrage, la progression et le bien-fondé des exercices. On lui donne un livre : ce qu'il voit c'est le contenu, les images. Que le papa, il est bien propre, qu'il jure pas le nom des dieux! Qu'il file jamais de raclée! Ni à maman ni à John!... Il fronce juste un peu les sourcils quand il est angry : « John, dit-il, prends bien soin de ton vélo neuf! » Puis ils vont au concert ensemble, avec flonflons et falbalas... L'enfant des classes laborieuses sent du premier coup ce qui échappe au professeur : qu'ils ne sont pas du même quartier, de la même banlieue, du même monde... Que c'est un père résidentiel!

C'est un coup sensible pour la démocratisation, la fameuse égalité des chances. Il n'y a pas que les conditions de travail à la maison — bien différentes de celles de John. Tandis que le petit garçon d'un notaire qui entre en sixième se trouve d'emblée dans son élément, le livre étant à l'image de sa famille et de ses habitudes, le fils d'un ouvrier maçon fait parfois grise mine. Ça le turlupine à son insu les belles manières britanniques.

Il se sent petit, tout vulnérable. D'autant que l'initiateur est un bien curieux personnage, avouons-le : ce présentateur fantasque qui jongle devant le bureau, qui danse d'un pied sur l'autre... Drôles de profs, ce monsieur, cette dame, coupés de toute vraisemblance, qui crachotent les this et les that du bout de leur langue rose, avec des grands gestes du bras! Qu'on ne sait pas, la moitié du temps ce qu'ils montrent!... Le gosse a tendance à rester dans son coin. Pour peu qu'en plus il n'ait pas l'instinct imitant, ce qui peut arriver à tout le monde, que les jeux de la langue étrangère ne soient pas pour lui d'un attrait brutal, il laisse couler, de semaine en semaine... Il rêve aux anges, et de page en page la famille Wilson s'éloigne de lui. Il devient mauvais en anglais. — Si par ailleurs l'infortuné gamin n'a pas les nerfs plus solides pour le français et pour les maths... Ça devient la chute de l'ange, il décroche, il dérape, de Conseils des maîtres en Conseils de classe il glisse jusqu'en Transition.

J'en ai vu comme ça des petits mômes, des fils de n'importe qui, blondinets pâles et pas méchants, tout attentifs, tout souriants les premiers jours, qui devenaient lointains, qui s'effaçaient au soleil d'automne... Vers la Toussaint ils ont des petites mines, ils s'étiolent sous le crachin. Ils se mettent à tripoter des billes, elles tombent parfois sur le plancher. Quand les travaux sérieux commencent, adieu la mer, adieu London, ils sont déjà ratatinés... Ils se sont pris la gueule aux branches, les premières gelées en plein cœur. — C'est comme les nèfles, ils sont bien mûrs pour la Noël!

Si par là-dessus le professeur de français est lui aussi un rusé personnage, un amateur de fin langage et de petites rédactions sucrées, il n'a pas fini d'en baver. Qu'il leur demande par exemple de décrire leur chambre à coucher : le petit gars va mesurer l'immensité de la tâche! C'est bien comme disent les mamans chez la boulangère :

— Ah c'est dur, vous savez!... Quand ils commencent d'attraper la sixième, ça devient dur!

Parce que la chambre en question, entre nous, il doit se l'inventer lui-même le plus souvent. Il doit au moins se la faire propre et coquette pour la circonstance, sans frère ni sœur bien entendu, avec du papier à grosses fleurs sur les murs. Il faut bien, on a sa fierté. Quand on est fils de mal-logé, on déballe pas sa misère en classe : les deux et trois dans un lit de fer qui se démanche la nuit si on se retourne trop brusquement. On n'en cause pas! — Lorsque Jean-Paul était petit, il couchait dans un placard. Un placard à deux portes, sous le plafond, il lui fallait une échelle pour y grimper. C'était sa chambre et son lit. Il n'aurait jamais raconté ça! — Alors pour rédiger ses deux petites pages de description, vous vous rendez compte d'un travail! Si c'est un tel bordel chez lui qu'il sait même pas où il couche le môme, il lui faut en plus une sacrée imagination! Architecte il devient! Décorateur!... C'est pas toujours réussi forcément. Pour s'aider il trouve parfois des combines, il fait la description du livre d'anglais : la chambre de John, il se la repompe... Je n'invente rien, je l'ai vu.

Remarquez que la rédaction s'en ressent. C'est un peu

cliché l'ensemble. Petites phrases banales, mal foutues... Le prof le lui reproche : « Manque de précision » — Pardi! « Améliorez votre style! » — litanie ordinaire des profs qui aiment les phrases ronflantes, les morceaux choisis vérolés de littérature française... Quelquefois c'est le contraire, le coquin y va un peu fort. Il se farcit des meubles en ébène, des dorures... On doute de rien quand on est petit. — Ça n'est pas l'idéal non plus. Le maître ricane, il fait des gorges chaudes devant tout le monde. Oh l'humiliation!... Avoir eu la fièvre, ce matin-là, l'appendicite!... N'être jamais venu! C'est arrivé un jour à Laurence. Elle n'avait pas dit qu'ils étaient sept dans la même pièce, de biais et en travers. Elle n'avait pas osé non plus parler des pots de chambre. C'est vrai d'ailleurs, ça regardait personne. Elle avait mis de l'acajou, brossé des dentelles en fantasme, des lourdes tentures pour faire bien, des tapis... La prof s'est gaussée d'elle. Elle a lu le texte devant toute la classe écroulée... Les copines qui savaient les choses — la turne, les robes données par charité — elles se tenaient les côtes... Un bon moment! Un morceau de haute culture!... Ah la sixième c'est un fameux trapèze vous savez, bonnes gens, pour les enfants des pauvres! Il faut en plus savoir doser ses mensonges.

— C'est dur!... Y a pas, c'est dur! — qu'ils disent les papas.

Les petits copains ont de bonnes notes. Ceux qui ont vraiment une chambrette, qui ont vivement tout décrit : le bibelot pas inventable, le coussin brodé par maman... Le souvenir rapporté des plages, la poupée, là, sur la commode... Le détail joli. Tout ce qui sent la quiétude d'une vraie chambre d'enfant. Ils ont des A, des B, des quinze... Ils ont gagné.

La rédaction, c'est comme les bordels d'Hambourg, c'est ceux qui ont les plus belles chambres qui gagnent.

La rédaction c'est comme la vie.

Chanson

They hurt you at home and they hit you at school
They hate you if you're clever and they despise a fool
Till you're so fucking crazy you can't follow their rules

A working class hero is something to be
A working class hero is something to be

When they've tortured and scared you for 20 odd years
Then they expect you to pick a career
When you can't really function you're so full of fear

A working class hero is something to be
A working class hero is something to be

John Lennon.

Traduction approximative pour ceux qui ne savent pas l'anglais :

Chez toi on te fait la vie dure, à l'école tu te fais tabasser
Si t'es intelligent, tu attires la haine, le mépris si t'es un peu taré
Et tu deviens tellement connard que c'est même plus la peine d'essayer.

Devenir un héros prolétaire c'est vraiment le pied
Devenir un héros prolétaire c'est vraiment le pied

Quand ils t'ont bien foutu la trouille pendant une vingtaine d'années
Le moment est venu pour toi de choisir un métier
Alors que tu as tellement peur que ta tête peut même plus fonctionner.

Devenir un héros prolétaire c'est vraiment le pied
etc.

2

Fleur du désert

Ça n'est pas nouveau. On a tout dit ou presque sur l'aspect bourgeois de l'enseignement. L'école n'est peut-être pas la grande libératrice que l'on croyait. Elle perpétue les inégalités sociales; elle « favorise les favorisés et défavorise les défavorisés ». Des gens sérieux ont fait les comptes, crayon en main, ont calculé qu'un pourcentage très faible d'enfants de prolétaires atteignent l'université [1]. Bien sûr, en idée, comme ça c'est démontrable. Tout le monde le croit. Tout le monde sauf, curieusement, les travailleurs de l'école.

Il faut dire que dans la vie scolaire de tous les jours ça n'est pas si facile, pour un instituteur ou un prof, de se rendre compte au jour le jour de ce qui cloche, au fil des exercices et des devoirs corrigés. Nous n'avons pas l'impression d'enseigner bourgeoisement. On se crève le corps au contraire, à essayer de rattraper un tel, une telle... On couve, on pond des astuces incroyables pour que ces petits incultes prospèrent, deviennent savants comme nous. On se tape journellement les ménin-

1. Cf. Ch. Baudelot, R. Establet, *L'École capitaliste en France*, Maspero.

ges contre les cahiers!... Les enseignants se donnent d'autant plus de mal que la grande majorité d'entre eux fait partie des exceptions, de ceux qui ont profité de la chance, naguère, qui, justement, partis de rien, s'en sont tirés grâce à la rondeur bien huilée de leur tête. — Ça fausse un peu le jugement d'être une exception. On a tendance à croire que les autres, n'est-ce pas, peuvent en faire autant... Mais ce qui fausse encore plus le jugement, c'est que, si nous avons réussi à sauter les barrières, c'est précisément parce que nous avons assimilé en profondeur les règles du jeu. Ces règles-là conditionnent aujourd'hui notre pensée. On nous a fait jouer aux échecs, blague à part, et nous avons gagné. Alors nous continuons à faire jouer les autres en espérant que ça se passera bien aussi pour eux.

J'ai mis longtemps personnellement à remonter le cours des choses. J'ai été un professeur tellement raisonnable, tellement bien intentionné!... J'ai été dressé pour ça. Dressé à trouver la meilleure façon de présenter une règle de grammaire, de la couper en petits morceaux pour la faire avaler à des gosses. On nous apprend à hacher menu pour éviter les haut-le-cœur. Une fois lancé sur la pente du métier on finit par tout passer à la moulinette : encore un peu... Encore une bouchée!... En plein délire pédagogique! On fait des essais, des préparations... Mais nous ne sommes pas formés à nous demander la raison de cette règle, son but et son utilité, ses conséquences — et s'il faut l'enseigner ou non.

Mon désir d'épistémologie m'est venu en prenant de l'âge, au hasard des circonstances, à mesure que mon désenchantement grandissait. J'en avais de plus en plus marre d'enseigner, j'essayais de savoir pourquoi. Par-ci par-là des éclairages se faisaient... Mais c'est parce que le métier me sortait par les pores, que je ne pouvais plus supporter la classe, que je me suis mis à réfléchir. Et non l'inverse. C'est à force de fatigue que je me suis mis à regarder les choses d'un peu plus près... Bref, j'ai commencé alors à douter.

L'année d'avant Maud et son équipe de bras cassés on m'avait donné du français en cinquième. Je n'en avais pas fait depuis neuf ans, c'était le bouquet!... L'anglais encore ça va. J'ai traîné mes guêtres outre-Manche, j'ai l'accent, la chose est rodée. Pas de préparations ou presque, peu de corrections avec le système oral... Ah! bien sûr il faut se prendre la classe à bras-le-corps, secouer les indifférences : geste, mimique — on danse toutes les situations. Classique, moderne, on mouille sa chemise... Pointes, entrechats, tout y passe. Chats tout court aussi, naturellement! Cat! This is a cat!... On en miaulerait. Mais intellectuellement, au moins, ça n'est pas une trop grande torture : il existe des rails, on les suit.

Là, le français, après si longtemps, ça me sapait le moral. D'abord j'avais commencé à douter de la langue, de la jolie prose littéraire — j'en ai dit deux mots par ailleurs... Et puis les corrections! Les piles de compositions françaises, les dictées, les questions... L'entière panoplie! On ne peut pas s'en sortir avec des ronds de jambe. En plus il faut organiser le travail, choisir les textes, les sujets... Je redécouvrais un cauchemar. J'ai horreur des préparations minutieuses, ça sert à rien dans le détail. J'aime inventer à chaud, sur le tas. C'est crevant mais au moins on capte l'attention des gens, on les force à bouger.

Devant l'immensité de la tâche je m'inventais des combines pour ne pas sombrer. La rédaction, j'avais trouvé un système pour ne pas trop corriger : je la faisais lire, chacun la sienne, on commentait. Une méthode fort ancienne certes, mais sans doute la plus naturelle et la plus fertile. Corriger des piles de textes chez soi jusqu'à des heures impossibles, dimanches compris, c'est vraiment du bâton dans l'eau. Le gosse s'en fout des corrections, il les lit même pas — ou alors il comprend goutte à nos remarques. De vive voix au contraire, sur le moment, il réfléchit, discute, explique, et surtout il recommence. Il fait des progrès. Le prof travaille trop en général. Souvent il n'y a que lui qui trime. Il s'abrutit de travail et n'a plus l'esprit à lui. — La dictée, je me suis aperçu que, si les gosses la dictaient eux-mêmes à tour de rôle, ils étaient beaucoup plus attentifs...

Oh je ne bousculais rien comme on voit! Tout dans les cadres. Je n'allais pas, en plus, chambouler l'ordonnance, le bel arroi des heures de ceci, de cela. Pas question de me farcir l'Administration, les parents, d'expliquer mes thèses et prôner des méthodes, me mettre tout le monde à dos et perdre le peu de sommeil qui me restait! Non, loin des grands pédagogues, j'aménageais doucettement, à ma main, juste pour ne pas couler. Ne pas finir l'année en clinique, aux Trois-Épis ou ailleurs [1].

L'ennui c'est que mes inventions à la petite semaine laissaient des trous de temps en temps. Il m'arrivait,

1. Maison de santé des enseignants.

au détour d'un après-midi, de me retrouver face à la classe devant une heure imprévue. Pour éviter la panique je prenais un bouquin et on se lançait dans des lectures improvisées, des explications surprises... Hautement répréhensible comme système! Tout à fait illégal à vrai dire. Une explication de texte ça se prépare. Ça se fait préparer par les élèves, à l'avance, par écrit, à la maison. Ils doivent répondre à un questionnaire, chercher les mots compliqués, les mouvements de la page... Le jour venu on élucide, on attire l'attention sur un détail, on fait briller l'auteur — toujours admirable —, on pompe la métaphore, on épingle, on tranche, on dissèque, on triture le morceau jusqu'à oublier ce qu'il veut dire. On s'amuse bien... Les gosses s'amusent pas toujours, surtout s'ils se sont déjà farci une heure de préparation chez eux, mais enfin là n'est pas la question.

Ces passages au peigne fin sont du reste légalement ordonnés et minutés : tant de minutes pour la présentation, puis la lecture, puis tant de minutes pour l'explication détaillée... On dégage l'idée générale à la fin. On termine par une relecture attentive, en insistant sur le ton à prendre, maintenant qu'on sait bien tout comme il faut.

J'ai pratiqué cela autrefois, dans les règles de l'art. J'aimais bien. J'avais de la finesse dans le doigté. Je cherchais les poils sur les œufs avec beaucoup de délicatesse :

> Le ciel est par-dessus le toit
> Si bleu, si calme...

Pourquoi « par-dessus »?... Musique. Mouvement.

Protection... Drap bleu tiré comme celui d'un berceau. Retour en soi, enfance... Allitération, balbutiement. Sagesse.

> Cette paisible rumeur-là
> Vient de la ville.

Eh oui, l'autre en prison, il écrivait de jolies choses. On peut les décortiquer à l'infini... — Les inspecteurs sont contents quand ils viennent. Ce ne sont pas toujours des gens secs et cassants les inspecteurs, ils ont de la rondeur. Ce sont souvent de gros sensibles. Ils adorent vous voir fouiner dans le dédale des émotions. Poésie... Surtout si vous suivez les Instructions officielles. C'est encore plus beau. Ça leur met l'œil humide...

> Dis, qu'as-tu fait, toi que voilà
> Pleurant sans cesse...

L'inspecteur en bave du coin des lèvres, sourire attendri. Il hoche la tête de temps en temps... Il se souvient de son lycée, de ses potes; c'est une histoire d'adultes, une histoire entre vous et lui. Il est heureux, il en oublie ses notes pour le rapport, il se touche délicatement la braguette...

> Dis, qu'as-tu fait, toi que voilà
> De ta jeunesse?

Il vient vous complimenter à la fin — Ah très joli!... Si, si... Votre explication... Finesse!... J'y ai pris du plaisir!... — Un détail toutefois, si vous permettez... Oh rien du tout! A peine une réserve... Un regret... — Aussi flambante qu'ait été votre prestation il y a toujours un détail qui l'a déçu. Même imperceptiblement, une bricole, un ré dièse quelque part qui n'avait pas tous ses comas. Il doit montrer que tout de même il est demeuré maître à bord, et que c'est lui qui vous inspecte...

J'ai connu ça. Mais dans le cas présent de mes nouvelles méthodes à la sauve-qui-peut j'étais loin de briquer aussi finement mes pièces. Je dirai même que mes lectures au débotté me causaient pas mal de surprises.

Un après-midi, devant le vide, j'avais saisi le manuel au hasard. Je feuilletais, d'un morceau choisi à l'autre, un œil sur l'auteur, un œil sur le titre, une fesse sur le coin du bureau... Pas grand-chose de palpitant. *Le français par les textes* ça s'appelait l'anthologie. Y avait les éléphants à Leconte de Lisle qui passaient... Braves bêtes. Elles sont toujours dans ces coups-là. Tous les manuels, recueils, compilations, vous tournez une page : « D'un point de l'horizon, comme des masses brunes »... J'allais pas leur parler des éléphants. Ils en voient plein à la télé.

Il fallait pourtant que je me décide, les mômes commençaient à bruisser. Je pinçais nerveusement les pages. De ci, de là, des historiettes... Et puis je tombe sur un morceau de Colette. — Colette? Tiens!... Ah pas mal ça, me disais-je!... Un cartable circulait déjà sous les chaises, avec des remous, il était temps de me décider. — Oui, Colette, c'est frais, c'est lisse... Ça leur fera du bien. Un joli coup de prose bien faite. Puis y a des chats, des bestioles...

— Qu'est-ce qu'on fait m'sieur!
— Allons-y! Page 124!... « Fleur du désert ».
On lit le texte. C'était un portrait. Au cours d'un voyage en Algérie l'auteur avait rencontré une très belle petite Mauresque. Elle décrivait :

« La petite fille que nous avions remarquée se tenait assise contre un mur éboulé d'argile crue, quelques cubes moulés à la main, à demi effrités et fondus, ce qui demeure d'un logis indigène après une courte pluie et une longue sécheresse. Elle pouvait compter cinq ans d'âge, et resplendissait de coquetterie mélancolique. Ses chevilles de biche, croisées, jouaient dans des Khalkhals d'argent grossier; à ses bras tintaient des fils tors de métal, et nous touchâmes, avec une curiosité de barbares, ses petits pieds encroûtés de la vase du ruisseau, ses mains précieuses jamais lavées, brunies de henné. Elle avait de grands sourcils démesurés, peints en noir vif sur son front, une bouche fière aux commissures charnues, bien endentée, et des yeux sans âge, langoureux entre les cils épaissis de fard... »

J'avais pris ma voix de théâtre, subtil mélange d'articulation professorale et de diction d'art dramatique qui m'a valu bien des compliments, posée, dosée pour bien emplir la salle, faciliter la compréhension et charmer l'auditoire. On arrive à faire une assez jolie musique avec des phrases bien tournées. On ajoute un zeste d'humeur légère, ce qu'il faut d'insouciance — pour l'interprétation, voyez-vous, c'est nécessaire. Mais là quelque chose me gênait... Ma voix commençait à déraper sur la joyeuse cadence.

> « Une étoile bleue marquait chaque ronde pommette, une flèche bleue divisait le menton. Des signes bleus, groupés, prolongeaient entre eux la ligne des sourcils. Un haillon rougeâtre, tordu sur les cheveux, laissait voir deux minuscules tresses poussiéreuses, arrondies sur l'oreille en cornes de bélier; d'autres lambeaux de cotonnade livraient aux regards ici un genou délié, là un flanc creux de petit lévrier. Le talus éboulé imitait exactement le ton de sa peau, un jaune clair mystérieusement mêlé de rose, et la petite fille semblait née l'instant d'avant fraîchement pétrie d'argile blonde, modelée d'une poignée de désert. »

J'ai pris un temps d'arrêt. Tant de beauté me faisait couiner. J'avais une impression curieuse... Une appréhension plutôt. Il allait falloir expliquer « délié », et pourquoi le genou était comme ça, et comme c'était bien trouvé le « flanc creux de lévrier », et les cornes de bélier... Il allait falloir s'émerveiller. Parce que c'est beau, c'est vrai... Les gosses me regardaient. Ils restaient sur mon hésitation.

— Ça vous paraît pas bizarre?

Syivain s'est mis à rigoler tout seul vers le fond.

— On croirait qu'elle parle d'une chèvre, m'sieur!

Encore un silence, puis les doigts ont claqué crescendo :

— Oui m'sieur!... Un animal on dirait...

— Un chien! Un lévrier, m'sieur, c'est un chien...

— Un chien de chasse!

— ... C'est comme si elle décrivait un petit chien tout mignon comme ça... Oh le joli toutou à sa mémère!

C'était bien ça mon impression... Zoologique en quelque sorte. J'étais soulagé que ce soit eux qui le disent. J'étais pas en train de me fourvoyer...

— Bon. On continue...

J'ai laissé tomber ma voix de théâtre. J'ai pris une diction prudente, distanciée :

> « Elle tendit une main, quémanda d'une voix aiguë, en arabe... »

Bref la gamine mendiait. Ils lui donnent une pièce française de vingt-cinq centimes et elle s'en va en criant : Saha! Saha!... Le lendemain Colette et son camarade prenaient le frais dans le jardin du meilleur hôtel du patelin :

> « Une petite main brune passa entre les barreaux de la grille et tendit vers nous une pièce de vingt-cinq centimes non trouée. Une voix enfantine glouglouta de l'arabe; les yeux et les dents de la fillette au : Saha! Saha! étincelaient de l'autre côté de la clôture...
>
> — Oh! C'est la même charmante petite! Que veux-tu? Ahmed, qu'est-ce qu'elle demande?
>
> — Elle rend la pièce, dit Ahmed, guide en burnous. Elle veut une monnaie du pays.
>
> — C'est trop juste, dit Daurces.
>
> Il reprit la pièce et donna à la fleur du désert un beau jeton d'Alger, large comme un souci, frappé

de deux palmiers, un jeton de deux sous, fait pour éblouir une enfant sauvage.

Les petits doigts colorés ne se refermèrent pas sur le jeton, et Saha! Saha! fit entendre derechef son roucoulement de gorge...

— Que c'est joli cette chanson de ramier un peu enroué! Non, Ahmed, ne la chasse pas, laisse, que nous l'écoutions... Qu'est-ce qu'elle dit? C'est un remerciement?

— Elle dit, expliqua placidement Ahmed, qu'il lui revient encore trois sous... »

Quelque part. Une grosse voiture noire, arrêtée... Nous étions deux ou trois gosses au bord de la route; je ne sais pas qui, je ne sais pas où. Flash de souvenir. Juste un plan qui me reste, entouré de brume, comme au cinéma... La portière de la grosse voiture noire était ouverte. Une vieille dame était assise à l'arrière, elle nous regardait. Elle avait un visage blafard, des gros yeux, des grosses lèvres. Sa main portait des bagues, un tas de bijoux luisants... Elle avait l'air intriguée de nous voir :

— Qui c'est ceux-là? elle a demandé avec une grosse voix aussi.

Une jeune femme s'est penchée, à côté d'elle, elle lui criait très fort au visage — c'est peut-être pour ça que je me souviens :

— Ce sont des petits paysans, madame!

— Ah! ... Ils sont beaux.

La vieille sourde a fait un mouvement de sa main pleine de bagues, rassurée, comme pour une bénédiction. Nous on souriait. On était contents d'être beaux. On se demandait si elle avait pas des bonbons...

— Allez... Allez!...

Non. Le geste... Elle bénissait rien du tout. Elle nous faisait comprendre. C'était fini l'entrevue... Elle nous chassait.

« Oh! C'est la même charmante petite!... Ahmed, qu'est-ce qu'elle demande? »... Sur l'estrade, les yeux au loin, je planais. Je voyais bien Colette et son copain là-bas, sous les ombrages du beau jardin d'oasis, s'émerveillant... « Non, Ahmed, ne la chasse pas, laisse... » Je sentais le ton, l'œil gourmand aux aguets des riches quand ils voyagent...

— Ils avaient un sacré toupet!... Pas vrai m'sieur?

Les gosses me tiraient de ma rêverie. — On est parti gaiement à démolir Colette. Ils trouvaient qu'elle était méprisante dans ses façons. Qu'on ne va pas tripoter ainsi les pieds d'une gamine... Heureusement qu'on n'avait pas d'inspecteur dans la classe, on était pas littéraires pour deux sous. Heureusement aussi qu'on n'avait aucune Algérienne dans les rangs. J'y pensais. Il en aurait fallu des délicatesses, des touches légères pour ne pas blesser... Mais c'était une belle petite classe, sans l'ombre d'un émigré.

— Y a deux ans m'sieur, j'avais une camarade dans ma classe, elle était arabe!... Ben elle avait pas un ventre de chien de chasse!

Sylvie parlait de sa copine, qui était gentille et tout

il paraît. Elle s'indignait *a posteriori*... On disait n'importe quoi. Ils voulaient savoir les sous et les centimes, la différence que ça faisait entre les deux pièces, et de combien ils la truandaient. Combien ça ferait aujourd'hui... Et Sylvain qui avait tourné ses quatorze ans d'âge, qui redoublait pour l'orthographe, qui n'irait pas loin, qui lisait le journal chez lui — il résumait :

— C'est pas étonnant qu'ils aient foutu les Français à la porte m'sieur, s'ils avaient que des rombières pareilles pour leur rendre visite!

Bien sûr... Mais nous étions loin de la belle explication de texte, du fin commentaire souhaité. Nous n'avions plus de temps pour les questions de forme, la construction du portrait, les beautés du langage et le ton mutin du récit... Ni pour rendre un peu mieux justice à Colette, ironique voyageuse après tout. On a jeté un coup d'œil aux questions, vite fait, avant la cloche : les questions sérieuses qui viennent après le texte, posées par les auteurs du manuel pour aider à la compréhension. Celles qu'ils auraient dû préparer, normalement, chez eux, la veille, afin d'orienter leur réflexion.

Pour « coquetterie mélancolique » on lisait : « qu'ajoute l'adjectif au trait de caractère? » — Pour « chevilles de biche » : « Par quoi rappellent-elles celles de la biche? Relevez les caractéristiques physiques de la fillette. » Après « poignée de désert » nous avions cet exercice de finesse d'esprit : « Relevez les expressions qui mêlent subtilement les sensations poétiques nées du désert au portrait de cette petite fille. »

On a conclu pendant la sonnerie, en rangeant les sacs à la diable, que les auteurs du manuel étaient d'incroyables balourds à qui il ne fallait pas faire confiance.

— C'est bête, m'sieur, ces livres!

Le paradoxe le voici : si j'avais préparé mon texte, je n'aurais peut-être rien vu. D'abord j'aurais pu éliminer le morceau d'office, ce qui m'aurait privé de la surprise à voix haute et de la gêne devant des enfants. Cette gêne de sentir l'incongruité du propos en cours d'émission m'avait servi de révélateur, un peu comme lorsqu'on a entrepris de lire à des petits une histoire que l'on ne connaît pas et que l'on s'aperçoit en cours de route qu'il s'agit en fait d'une histoire porno; l'aspect pornographique vous apparaît, à cause de votre embarras, dix fois plus énorme que si vous aviez parcouru l'histoire des yeux. Ici la vision raciste, la vision de classe, m'était apparue grossie, multipliée par ma confusion, au point de faire resurgir une image oubliée de mon enfance. Image cinglante qui me remettait à ma place. En un éclair je me suis senti, moi, la petite Algérienne regardée par Colette. Ça changeait beaucoup de choses... Ça changeait tout.

Mais j'aurais fort bien pu aussi expliquer ce texte en toute innocence. J'en ai expliqué d'autres, et des meilleurs. Il aurait suffi que mon esprit ait été pris par autre chose : en l'occurrence la façon de le faire passer. Tout occupé à composer la sauce, la vraie teneur du morceau ne me serait pas forcément apparue. J'aurais au moins feuilleté les questions du manuel, afin de m'inspirer; elles sont là pour ça, pour guider aussi bien le maître que l'élève. Et elles sont très persuasives ces suggestions; d'abord elles vous confortent dans le genre de travail que vous avez toujours vu faire : « relevez les expressions poétiques... » Il s'agit d'un code, d'une tradition. Et puis c'est écrit, ça impressionne toujours. Surtout les livres de classe, on se dit que les bonshommes qui ont compilé le guide en connaissent un sacré rayon; ils sont reconnus, publiés, félicités. Il y a généralement un inspecteur dans la bande... On a tellement peur de ne pas penser à tout, d'oublier, de passer à côté de quelque chose d'important. On a eu tellement de reproches ricanants quand on était élève : « vous n'avez pas dégagé l'essentiel ». Il y a toujours une appréhension avant d'expliquer un texte, celle de se tromper comme un malheureux. Alors on jette volontiers un œil sur le voisin : on s'abrite avec les questions du livre... « Relevez les caractéristiques physiques de la fillette », ce n'est pas une phrase que l'on dirait facilement de soi-même. Donc on « relève », consciencieusement.

Oui, je crois que j'aurais pu expliquer ce texte, et être même rudement brillant. J'ai le savoir et le tour de main. Au lieu de saisir brutalement un bouquin sans crier gare, ce qui est la vilaine manière des maladroits, des débutants, des stagiaires, il faut, on doit, en Lecture expliquée, amener de loin les choses, toute astuce bien concoctée, soigner d'abord la motivation. Petit entretien préalable, soi-disant à bâtons rompus — on mène son monde au bord de l'eau et hop! en barque! « Justement il y a Un Tel qui en parle : nous allons lire le texte ensemble, vous voulez bien? » ... Ça marche à tous les coups!

Là, avec mon Arabe, j'aurais pu être réellement épatant. Je me serais promené dans les rangs, les mains vides, comme un qui sait pas très bien ce qu'il va faire, pendant qu'ils sortaient leur barda. J'aurais passé près de Sylvain, par hasard, et remarqué, mine de rien, ses cheveux blonds. Par exemple. On aurait trouvé un bon mot à dire sur ses tifs, du genre : il a des cheveux de sable, ou toute autre joliesse. Ils auraient ri, Sylvain, content. On aurait dit qu'il avait des cheveux nordiques — trois mots sur les Vikings... Et tout d'un coup on élargit : l'idée qui fait semblant de naître...

— Vous avez eu des camarades étrangers dans vos classes, sûrement?...

C'est bien rare qu'il y ait pas eu un Portugais à la traîne, décrit en deux mots. Et fatalement nous serions tombés sur la Maghrébine de Sylvie, toujours à bâtons rompus.

— M'sieur, y a deux ans, j'avais une camarade...

— Ah oui?... Comment était-elle?...

L'intérêt soudain! Une autre gamine qui l'aurait connue aussi. Elle ajoute un détail... Hop! Cinq minutes, montre en main, pas davantage, et mon auditoire était chauffé à blanc!... J'étais revenu en douce près du bureau où y a le bouquin qui attend :

— Tiens! Ce que tu me dis me rappelle une histoire que raconte Colette... Vous savez qui est Colette? Délicieux écrivain!... Je crois que le texte est dans le livre justement... C'était au cours d'un de ses voyages...

Et c'est parti! Comme dans du beurre! C'est le savoir-faire, la pédagogie! — Oh le bon professeur! Je suis sûr qu'on se serait extasiés ensemble — si seulement j'avais eu préparé ma leçon! On se serait pâmés sur les « chevilles de biche », le « flanc creux », le « glouglouta de l'arabe » — Saha! Saha!... Quel ramier! On aurait relu, deux ou trois fois, en faisant des grâces... Saha! Quelle colombe! Quel art aussi chez l'auteur!... On aurait bandé sur la « fleur du désert »!

— Très bien monsieur Tartampion! — L'inspecteur gourmet en fin de séance. — Très vivant! Quelle sensibilité! Finesse d'esprit!... Parfait!... A mon avis — une petite remarque toutefois — vous n'avez pas assez insisté sur... J'aurais aimé... C'est un détail... Infime réserve... Perfection...

Vieux con. Lui aussi, l'inspecteur, il est souvent l'enfant d'un tâcheron. Le petit-fils d'un besogneux des terres occitanes, d'un haveur de charbon presque belge... Le descendant d'un ajusteur. Les fils de bourgeois ne font pas d'enseignement. Ils occupent les ministères.

Un jour, à l'École normale, j'avais eu une prise de bec avec une de nos profs. Elle s'était trompée dans une copie de composition et elle refusait d'en démordre. Rien de grave au demeurant, aucun écart de langage. Je m'étais énervé poliment. Mais ce n'était pas encore la mode des disputes avec un professeur, je fus mandé chez la directrice. Une femme compréhensive — d'autant plus que la prof avait tort.

J'étais furieux, bloqué, buté, timide, les poings crispés sous la tancerie : qu'il fallait voir les circonstances, que je devais filer plus doux... J'avais les cheveux longs, en plus. Un précurseur. C'était aussi bien porté dans les années cinquante que des croix de Lorraine en 43. Ça faisait sale...

On discutait des deux choses, là, dans son bureau, elle assise et moi debout, comme ça se fait. Je m'entêtais dans mon bon droit. Je parlais de vérité. Alors la directrice a eu un mot :

— Vous n'êtes tout de même pas un Paysan du Danube!... Si?

Ça m'a cloué net : je savais pas ce que ça voulait dire [1]. Un mot ignoré, comme ça, qui avait échappé à ma vigilance. Qui faisait classique, énormément culturel, qu'à la façon dont elle l'avait dit je devais savoir... Je me sentais coupable. Et puis Danube encore ça allait, c'est paysan surtout qui me gênait. Ça sentait l'injure. J'avais des éclairs de chez nous, de l'étable, du fumier. Je rougissais... Pour une fois que je me fâchais, c'était réussi! J'avais peur qu'elle se mette à rire... Paysan? Vous? Allons donc!... J'ai dit non, par prudence. Par lâcheté, le regard baissé :

— Non...

— Vous voyez bien! qu'elle triomphait.

Elle m'avait eu. Ma colère coupée net, envolée... Elle avait l'habitude des adolescents. Elle devait s'être gavée de bouquins de psychologie; la révolte, tout ça, elle connaissait. L'intimidation culturelle aussi probablement. Le pouvoir des mots est une arme redoutable, celui qui ne le détient pas n'est rien... Elle m'a vite pris par les bons sentiments. Moi, encore sous le coup de sa trouvaille, toute prudence dehors, je biaisais. De peur qu'elle m'en sorte une autre, j'acceptais d'avoir tort un petit peu...

Voyant que la première manche était pour elle, que je me calmais, elle insinuait :

— Dites, qu'en pensez-vous? Peut-être que si vous alliez lui présenter des excuses...

Là j'ai dû tout de même avoir une gueule pas possible. Tout le corps raidi. Il a dû passer quelque chose dans mes

1. J'ai cherché depuis : c'est un personnage de La Fontaine qui vient mettre les pieds dans le plat au Sénat romain, avec une « franchise brutale ».

yeux. Une lueur sans doute, je ne sais pas, un éclair assassin. Elle a vu ça. Elle a dit très vite :

— Bon, bon... N'en parlons plus.

Je lui dois cet hommage, elle a fermé sa gueule. C'était une femme bien.

J'ai tout de suite accepté d'aller chez le coiffeur.

3

La soupe aux bourgeois

Tout de même la question se pose de savoir pourquoi tant de gens d'origine modeste, affiliés quelquefois à un parti révolutionnaire, souvent militants de base peuvent prodiguer en toute innocence un enseignement hautement réactionnaire. Comment ces gens sincères peuvent continuer à faire fonctionner un système aussi éloigné de leurs convictions?... Le soir de ma déconvenue avec Colette je me demandais par quel aveuglement je n'avais jamais compris ce que le ton d'un texte peut cacher vraiment. Comment les auteurs du manuel, après tout gens de bonne intention, avaient pu pondre des directives aussi platement sereines? Et comment nous pouvons tous en général continuer à exercer notre métier d'une façon aussi naïve, nous qui sommes censés être les rois de l'exégèse précisément, les petits malins qui apprennent aux autres à lire entre les lignes [1]!

C'est que nous croyons à la culture. A une certaine culture... Et la culture c'est quelque chose! Ça intimide. On n'ose pas la gratter. Elle nous a été donnée,

1. Certains ont fait des analyses, ici et là, théoriquement, dans des revues éparses. Je ne l'ai pas su.

on lui fait des révérences... A force de vous entendre seriner dès l'enfance que tout ce que l'on vous propose est bel et bon, est l'Exemple même, la Beauté en tenue de gala, vous finissez par y croire. Pendant longtemps, lorsque j'entendais le mot culture, je pensais d'abord à un champ de pommes de terre... Oh c'était pas méchant! C'est pas comme l'autre avec son revolver! — Non, j'avais simplement la connotation rustique... Et puis naturellement je me rappelais bien vite que c'était pas ça : qu'il s'agissait de la Grande Culture, de l'unique, de la vaste, de la très belle, de la Culture aux grands pieds! « L'ensemble des connaissances acquises qui permettent à l'esprit de développer son sens critique, son goût, son jugement », comme dit Robert. — Oui mais c'est très orienté tout ça, non?... Le goût, le jugement... L'ensemble des connaissances acquises peut-être, mais ça dépend tout de même lesquelles! On ne dit jamais de quelqu'un par exemple : « Cet homme est très cultivé, il connaît Marx et Lénine sur le bout du doigt. » Hein? C'est vrai, ça fait curieux comme remarque... A l'oreille, ça ne passe pas. Pas plus que : « Cultivé? Vous pensez, il travaille sur les nouveaux ordinateurs Machin! » Ce serait choquant à la limite... Non, un homme cultivé ce n'est pas ça. Il connaît d'abord ses classiques. Non pas pour en faire une critique historique circonstanciée, non, comme ça, pour l'ornement de ses pensées. Racine, il en cite deux ou trois vers... Mallarmé. Il sait reconnaître un Breughel, un Beethoven. Il a lu Proust en entier, Balzac... Bref il est cultivé quoi!

On dit aussi que la culture c'est ce qui reste quand on a tout oublié. Ben oui. Ce qui reste c'est un sentiment, une impression, une manière de voir les choses — une vision. Comme on a oublié d'où elle vient cette vision, elle nous paraît naturelle, la seule qui soit. C'est comme celui qui porte des lunettes de soleil, il oublie ses verres teintés; ça lui colore l'existence, il cherche pas à en savoir plus long.

En ce qui me concerne, ma vision s'est formée par petites étapes, insensiblement, au fil des résultats scolaires, à mesure que je changeais de situation sociale. Parti à quinze ans et demi d'une ferme trop petite où j'aurais eu du mal à survivre, j'ai commencé mes études comme on prend l'autobus en marche. Je suis entré dans le cycle modeste des écoliers sages pour préparer en catastrophe un BEPC prometteur d'emploi. J'ai dû mettre les bouchées doubles, me chauffer à blanc, m'initier, m'assouplir, tout avaler avec un appétit féroce. Ce faisant ma tête a viré de bord sans que je m'en aperçoive.

Pourtant j'avais eu le temps de mûrir dans une culture paysanne donnée, occitane de langue et de pensée, qui vaut ce qu'elle vaut, mais qui existait. J'avais eu accès aux codes compliqués et subtils qui régissent les rapports des gens à la campagne. Dans une population sédentaire, plantée depuis des siècles sur trois collines et deux clochers, les notions de vie sociale et de vie privée ne sont pas exactement les mêmes que chez les populations citadines, mouvantes et mal implantées. A la campagne les gens se connaissent de toute éternité. Ils se voient naître, ils se regardent grandir. Ils s'enterrent les uns les autres. Cela crée des liens que l'étranger a quelquefois du mal à saisir. Les gens s'aiment, se haïssent, se rendent des services, se brouillent, s'entraident, se battent parfois au bord d'un chemin, mais ils se connaissent; ils ne s'ignorent jamais.

Je sentais toutes ces situations au travers des fils ténus, cachés, tissés par l'histoire d'une région et d'une langue, et qui défient souvent la logique ordinaire, celle des villes. En ville par exemple on ne voit jamais les gens mourir. On ne sait pas où ils passent les vieux. On les rassemble dans des coins exprès sans doute, des mouroirs en formica où ils crèvent, débiles et oubliés, évanouis avant la mort. On doit les mettre en tas après... Si par hasard quelqu'un trépasse chez lui, on l'expédie vite fait, comme un détritus encombrant — je parle des gens du commun. Pareil que pour l'enlèvement des poubelles : on le descend par l'ascenseur, on le coince dans une bagnole et on va le poser quelque part, dans un trou rectilignement aligné, au fond d'une banlieue triste. On n'en parle plus. — Chez nous, quand un bonhomme s'en meurt, ses amis lui font un brin de conduite. On arrête le travail, outil planté qui attendra. On suit le mort à quelques pas, on le dépose. On dit au revoir au moins, poliment...

C'est vrai qu'on bavarde aussi sur le cortège. Ça fait ricaner les citadins. On cause des champs et des bêtes, des cours du veau, des derniers potins. A voix haute en fin de queue qui s'étire entre l'église et le cimetière, on se gêne plus. Ça ne fait pas très recueilli... Les étrangers ne comprennent pas, ils pensent que c'est de la frime. Il faut savoir que c'est la vie un enterrement, une occasion de se retrouver entre anciens, entre familles dispersées. On interroge ceux qui sont venus de loin, qu'on n'a pas vus depuis trois ans, quatre, cinq, dix ans! Qui réapparaissent changés, qui ont pris un coup de vieux entre-temps, en pleine figure d'irréparables outrages. D'ailleurs il faut être resté au moins cinquante ans sur place pour savoir qui l'on prévient du décès nommément — à qui on le « fait dire » — et qui sera prévenu par le glas; par la rumeur qui court de bosquets en parcelles qu'Un Tel est mort. On prend le conseil des grand-mères pour être sûr de tous les arrière-cousins.

On cause, on cause... Et puis on cause plus. Y a un moment où les veaux, les foires, la santé de la tante à Chose, tout ça s'arrête. C'est quand on entend la bière cogner au bout des cordes dans la terre rouge. On sait que le Jean ou la Joséphine descendent au trou avec cè dernier bruit... « Orémus » dit le curé. Y a personne qui répond. Le fossoyeur guide la manœuvre à mots couverts. Ce qui échappe au citadin, c'est qu'il n'y a plus ni veaux ni cochons qui tiennent à cet instant. On a ôté les casquettes. On se souvient. On revoit la tête du défunt à sa dernière réjouissance... Un poil de brise fait bouger les cyprès; il y a toujours un peu de vent dans les cimetières. Des mèches volettent en désordre sur les crânes nus. On pense à soi, chapeau en main, les pieds sur les tombes voisines, à bousculer les chrysanthèmes des autres... Au bord de la tombe monte alors un sanglot occitan : La ieou! la ieou! ieou!... Plainte des veuves et des sœurs : lon pauré!... Dernier salut dans la langue des tripes, qui sera notre oraison à nous, sur la même terre, dans le même carré d'enclos... A la campagne on ne se fait point d'illusions légères : on sait où on va. — On repasse devant le gouffre à la queue leu leu, chacun pour jeter une motte de glaise... On s'en va. Sur la route les paroles reprennent. On reparle des affaires d'ici.

Je voudrais bien mourir chez nous, le plus tard possible, mais qu'on n'ait pas entièrement foutu en l'air notre civilisation rurale. Que quelqu'un sache encore me regretter d'une parole fraternelle : lou pauré téchou!... Oh je sais bien! ce sont des bricoles. Philosophiquement ça ne tient pas debout. Mais je voudrais bien qu'il y ait encore du vin à boire, pour mes copains, après le trou... Car nous avons des rites naturels de rassemblements alimentaires. Depuis les temps les plus obscurément anciens on a des bouffes rituelles, des mangements d'église, les communions, les noces, les baptêmes... Les événements principaux de la vie sont ponctués de repas grandioses et post-religieux. Sans parler des petites ripailles ordinaires, la fête du cochon, des battages, des vendanges, qui viennent tout droit, ininterrompues, de la préhistoire. La vie des gens, l'enfance, est marquée de ces rites pas uniquement familiaux, qui posent d'énormes pierres dans le cours du temps.

J'ai mon enfance ponctuée de ces mangeailles, pas du tout assommantes ou compassées. Ma première cuite je l'ai prise à neuf ans, au vin nouveau, parce qu'on avait tué le cochon au Bonhomme. J'ai dégueulé dans la basse-cour, dans la nuit, tout seul comme un grand... Il y a eu des mariages formidables quand j'étais petit, des fêtes à tout casser qui cassaient surtout le fil des ans. On mangeait tout le jour. La nuit il y avait la chasse aux mariés enfuis qu'il fallait dénicher dans un village ou l'autre pour leur porter la soupe à l'oignon. Peut-être que je ne me suis jamais tant amusé... On se référait pendant dix ans, vingt ans, au mariage d'Un Tel, à la noce de Marcel ou de Noémie. Les vieux le disaient, ceux qui avaient bonne mémoire, pour situer un événement ordinaire, l'achat d'un pré, la vente d'une terre : « C'est l'année que Baptiste s'est marié. Je m'en rappelle, on faisait les foins. Et il s'est marié en 21. » On situait ainsi les choses...

Or, on a parlé des noces paysannes dans les livres. Il y a des tas de descriptions littéraires, l'un, l'autre, Maupassant... Ça ne correspond pas. D'abord elles sont toujours du Nord, de plats pays cossus, de marées basses... Ensuite elles sont décrites par des grands bourgeois des villes qui, en fait, se payaient finement la gueule de ces pauvres ploucs. Je parle des plus grands, des écrivains les plus admirables à tous les justes titres que l'on veut — ceux qui suintent dans les livres d'école, en dictées cent fois répétées, en lectures suivies et dirigées. La plus célèbre, la noce de *Madame Bovary* par exemple : quelle délicate façon d'ironiser! « Tout le monde était tondu à neuf, les oreilles s'écartaient des têtes, on était rasé de près; quelques-uns même, qui s'étaient levés dès avant l'aube, n'ayant pas vu clair à se faire la barbe, avaient des balafres en diagonale sous le nez, ou, le long des mâchoires, des pelures d'épiderme larges comme des écus de trois francs, et qu'avait enflammées le grand air pendant la route, ce qui marbrait un peu de plaques roses toutes ces grosses faces blanches épanouies [1]. »

1. Gustave Flaubert, *Madame Bovary*.

Certes, ça n'est pas bien méchant. Mon père se balafrait ainsi quelquefois, les matins de foire, pour s'être rasé au saut du lit, avant d'aller à l'étable. Ce que je veux dire c'est que ces lignes n'ont pas été écrites à l'origine pour être lues par des paysans. Cette description de tondus à neuf était destinée à amuser les lecteurs douillettement instruits, dont les réceptions de mariage avaient tout de même une autre gueule, si j'ose me permettre! Des gens qui ne se fussent nullement pointés chez leurs hôtes en si belle occurrence avec le visage tailladé au rasoir! Qui avaient des barbiers! Tout au moins qui disposaient de cosmétiques sur leurs tables de toilette. Des gens qui n'avaient pas à s'assimiler, bien au contraire, avec ces « grosses faces blanches épanouies ». C'était entre eux cette littérature. Ce qui est sous-jacent au texte de Flaubert c'est que des culs-terreux qui veulent se faire beaux ne parviennent qu'à se rendre ridicules. Ridicules pour qui? Pour les bourgeois qui les observent — lisez : pour « nous », bourgeois qui les observons. La notion de « paysan endimanché » est une notion relative. Elle n'a un sens que de l'extérieur, d'en haut, de chez les riches. Lorsque mon père mettait ses habits du dimanche, il était content. Il ne se sentait pas du tout « endimanché » au sens où les bourgeois l'entendent. Il se trouvait beau. D'ailleurs il l'était! Et moi aussi ! — J'ai des photos, je vous montrerai...

J'ajouterai que la morale implicite — voulue ou non par Flaubert — d'autant plus insidieuse qu'elle est cachée, se résume ainsi : ils se font beaux pour « nous » imiter. Les pauvres diables! Ils feraient mieux de rester à leur place, à leur rang, en blouse des champs! Et les vaches seront bien gardées. Il s'agissait donc d'une littérature entre gens huppés — tout comme la description de la petite Algérienne de Colette est « entre nous » bien évidemment, Européens des années vingt, qui pouvons goûter le joli effet de « ses petits pieds encroûtés de la vase du ruisseau ».

Oh je sens venir l'objection! Que la Littérature n'a pas à tenir compte de... Que l'Art du Créateur est au-dessus de, patati... La Beauté, patata, une et indivisible... Eh! Dites!... Eh! Mon œil!... Je l'ai assez entendue la chanson! Ça aussi ça fait partie de la vision : la Littérature avec un L grand comme une équerre de charpentier, l'Art immense et sacré, le Créateur sorti tout poilu de la cuisse de Jupiter... De grâce! N'en jetez plus!... En réalité on écrit toujours pour quelqu'un — serait-ce pour soi-même. Colette ne faisait pas le portrait de Saha! Saha! l'enfant sauvage pour la Veillée du Joyeux Touareg ni pour le Petit Réveil de Bou Saada! Elle écrivait ses articles pour *le Matin*, journal de Paris. Monsieur Robbe-Grillet dans un autre genre n'écrit pas ses livres pour tout un chacun mais pour des jeunes gens sérieux dont le but dans l'existence est d'étudier précisément, de déterminer avec exactitude l'art et la technique du Nouveau Roman. — Ils ont le droit! Foutre! Assurément!... Mais qu'on ne dise pas que l'écrivain s'adresse à la lune, où il n'y a encore aucun prolétaire heureusement.

Un qui savait pertinemment pour qui il écrivait c'est Balzac. Je n'ai rien contre Balzac — formidable écrivain, oh là là!... Je fais des constatations. Lorsqu'il parle des paysans, il prend soin d'avertir honnêtement ses lecteurs. Il précise bien que ce qu'il raconte peut leur paraître incroyable, mais que ce n'est pas du tout comme chez eux, qu'ils doivent faire très attention, qu'il s'agit d'une autre race et tout. Ce n'est pas un freluquet Balzac, il prévient : « Au commencement de cette scène il est nécessaire d'expliquer, une fois pour toutes, aux gens habitués à la moralité des familles bourgeoises, que les paysans n'ont en fait de mœurs domestiques aucune délicatesse », etc. Qu'on n'aille pas risquer de confondre ! — Il confondait, lui, misère et moralité mais là n'est pas la question. Notez, entre nous, que le risque d'erreur n'était pas énorme, comme on peut en juger par la présentation qui suit. Il se tenait suffisamment à l'écart pour que son public des « familles bourgeoises », même le plus étourdi, ne soit pas tenté de faire quelque rapprochement que ce fût :

> « Quelles peuvent être les idées, les mœurs d'un pareil être, à quoi pense-t-il? se disait Blondet pris de curiosité. Est-ce là mon semblable? Nous n'avons de commun que la forme, et encore!
> Il étudiait cette rigidité particulière au tissu des gens qui vivent en plein air, habitués aux intempéries de l'atmosphère, à supporter les excès du froid et du chaud, à tout souffrir enfin, qui font de leur peau des cuirs presque tannés, et de leurs nerfs un appareil contre la douleur physique, aussi puissant que celui des Arabes ou des Russes.
> — Voilà les Peaux-Rouges de Cooper, se disait-il.

Il n'y a pas besoin d'aller en Amérique pour observer des sauvages. » Fin de citation [1].

Inutile de dire qu'après de telles lectures un fils grandi de paysans qui s'instruit fait attention où il met les pieds! Il prend ses distances avec père et mère. Il les regarde sous le nez, le soir, à la chandelle, quand il vient en vacances : « Rigidité particulière des tissus »... Il se cultive quoi!

Pour en revenir à mes cérémonies campagnardes, avec l'instruction que j'ai reçue, j'ai appris à les distancier, de lectures en dictées, à passer du côté de Flaubert et de Maupassant... A voir en somme toutes les noces de ma classe sociale par les yeux de bourgeois qui voyageaient, salonnaient, qui nageaient dans des eaux infiniment plus coulantes. Certes ils avaient de quoi me teinter les lunettes. Il faut admettre que c'est drôle la façon dont Flaubert décrit un cortège nuptial, ménétrier en tête « abaissant et levant tour à tour le manche de son violon pour se bien marquer la mesure à lui-même. Le bruit de l'instrument faisait partir de loin les petits oiseaux [2] ». Amusant, oui. Surtout pour des gens qui vont au concert ordinairement; qui entendent des sons autrement filés, qui écoutent des violons, des vrais, en queue de pie, jouer Beethoven ou Jean-Sébastien; qui s'enfuieraient euxmêmes, à l'approche de ce branquignole, comme des petits oiseaux!

1. Honoré de Balzac, *Les Paysans.*
2. Gustave Flaubert, *Madame Bovary.*

Pourtant cela ne me concerne pas. Quand j'étais petit, mes noces étaient des fêtes. Des vieux accordéons sortaient des armoires et c'était un enchantement. On se mettait des habits neufs. On préparait le coup des semaines à l'avance, les cadeaux... On avait des petites cavalières timides en robes de mousseline rose, que l'on tenait par la main. On mangeait des choux à la crème descendus des pièces montées. On buvait du vin blanc. On jouait à la cachette dans les granges et dans les greniers. On touchait un peu les petites culottes de nos petites cavalières timides... C'est bien possible que je ne me sois jamais tant amusé.

Mes noces étaient au premier degré. Elles le sont restées pour ceux qui n'ont pas eu l'avantage de passer leurs examens. Moi, à vingt ans, baccalauréé comme il faut, je crachais connement dessus. On m'avait appris, finement. Le clin d'œil complice avec le monde bourgeois. Personne n'avait rien écrit sur mes noces, vues de mon côté. Personne n'avait jamais dit un mot de ma sorte d'enfance : il m'a fallu la cacher. Il m'a fallu jouer leur musique, me mettre du côté des rieurs... Ah c'est bien comme disait Flaubert à George Sand : « Quant au bon peuple, l'instruction gratuite et obligatoire l'achèvera. » — Piquant non?... Vous ne trouvez pas?... Entre classiques du cahier à grand ou petit interligne! Instructif aussi en un sens; tout comme ce passage d'Ernest Legouvé, un auteur un peu oublié sans doute, mort en 1903, mais qui était célèbre dans les anciens livres de lecture, dans les révérés recueils de dictées, les solides manuels qui ont guidé nos jeunes intelligences comme on dit. Cher Legouvé! Je vois encore son nom écrit au tableau noir! Encore un qui ne faisait pas la bêtise de croire que NOUS c'était tout le monde, qui savait ce que NOUS voulait dire, et qui ne le cachait pas :

> « Les paysans sont à la fois très semblables à *nous* et très différents de *nous;* ils ont tous *nos* sentiments, mais à l'état rudimentaire, élémentaire. J'ai assisté à la campagne à beaucoup d'enterrements; j'ai vu des paysans tristes, je n'en ai jamais vu de désespérés. J'ai vu beaucoup de mariages à la campagne, je n'y ai jamais vu ce que *nous* appelons l'amour. En effet l'amour est un luxe, le luxe du cœur; les paysans aiment et regrettent comme des gens qui ne vivent que de pommes de terre et qui travaillent quinze heures par jour. Leur cœur ressemble à leur intelligence, il ne va pas au-delà de l'enseignement primaire [1]. »

On me dira que je cite là de vieilles choses, que l'orientation a changé, qu'un écrivain parlant aujourd'hui des paysans ne le fait plus dans cette optique... Mais si, mais si! Il en reste quelque chose. Il a beau avoir l'œil de l'ethnologue sympathisant, une vieille méfiance demeure, voire une vieille hostilité envers le « monde secret de la terre ». Sans fouiller aucune bibliothèque je prendrai au hasard, uniquement parce que je suis en train de le lire et qu'il me passionne, le tout récent et excellent *Montaillou, village occitan* d'Emmanuel Leroy-Ladurie. A la page 59, commentant le rôle de la maison (l'ostal)

1. Cité par Bechtel et Carrière in *Dictionnaire de la bêtise*, R. Laffont.

dans un village des Pyrénées au début du XIVe siècle, l'auteur cite un prêcheur cathare mettant en garde les fidèles contre les entreprises de Satan : « Satan entra au royaume du Père, et donna à entendre aux Esprits de ce royaume que lui, le diable, possédait un paradis bien meilleur encore... Esprits, je vous emmènerai dans mon monde, ajouta Satan, et je vous donnerai des bœufs, des vaches, des richesses, une épouse comme compagne, et vous aurez vos propres *ostals*, et vous aurez des enfants... et vous vous réjouirez plus pour un enfant, quand vous en aurez un, que pour tout le repos dont vous jouissez ici au Paradis. »

Leroy-Ladurie commente d'autorité : « L'*ostal* vient donc après la vache et la femme, mais avant l'enfant, dans la hiérarchie des biens essentiels. » Tiens ?... Curieuse conclusion ! Elle me semble fort être dictée par un vieux fond de ricanement, surprenant chez un savant aussi scrupuleux : ah ces paysans ! Toujours les mêmes ! Ils préfèrent leurs bœufs à leurs femmes... L'amour des gros sous, le bas de laine !... Alors qu'en l'occurrence l'énumération du diable obéit à une logique économique rigoureuse : « *les bœufs* et *les vaches* » sont les outils de production dont la possession conditionne la mise en ménage. Si l'on veut *une femme*, il faut avoir les moyens de la nourrir. Puis la femme et l'*ostal* vont de pair : il faut avoir une épouse pour tenir la maison. Ces conditions étant elles-mêmes réunies on pourra, récompense suprême, avoir *des enfants*. Autrement dit l'invitation du malin obéit à la logique ordinaire des espoirs prolétaires d'un jeune homme auquel on dit : « Tu auras un bon métier, comme ça tu pourras te marier, te mettre dans tes meubles et fonder une famille. »

Il est possible que ces impératifs ne s'appliquent pas au monde bourgeois où l'on est certain d'acquérir une situation sociale de toute façon. Les gens peuvent s'y marier d'abord et ne songer qu'ensuite à « embrasser une carrière ». Ça n'est pas la mode chez nous. De nos jours encore un jeune agriculteur n'a aucune chance de trouver une femme s'il ne possède pas, d'abord, une exploitation rentable!

C'est un détail, mais qui montre que même chez un historien précis et passionné du monde paysan, le vieil *a priori* antiterrien persiste inconsciemment, jusqu'à lui faire commettre une légère erreur de jugement. Sur l'ensemble du livre de Leroy-Ladurie, admirable d'ailleurs, plane ainsi une vague ironie paternaliste faite de petites remarques plaisantes — « le Tout-Montaillou », etc. — qui permet de rester implicitement sur le plan du NOUS, mais qui fait passer l'auteur, à certains moments, très légèrement à côté de la plaque.

Ben oui. On ne nous avait pas dit que les littérateurs se foutaient de nous. On nous les faisait révérer comme nos grands frères, ces visages pâles! Ce n'est qu'un petit exemple de ce que j'appellerai l'embourgeoisement par les textes, un aspect majeur de notre éducation. Il a pour résultat de nous empêcher d'avoir le regard qu'il faudrait, plus tard, sur la machine que nous faisons fonctionner... On doit ajouter qu'en France cet aspect est considérablement renforcé chez les minoritaires.

Pour un Occitan ou un Basque la littérature de classe qu'il reçoit se charge en plus du formidable impact civilisateur-colonisateur. Le coup est imparable: on nous donne sur nous-mêmes un regard de touristes, on nous ballade dans un self-safari-photo!

Enfin, moi, ils m'ont fait cracher sur mes noces, je suis pas près de leur pardonner. D'autant que je me suis copieusement laissé faire. Ce n'est pas aussi simple, il faut l'avouer, on se laisse faire, bien volontiers. La façon dont partout dans le monde les exploités, les colonisés prêtent la main à leur propre aliénation est un phénomène connu. Les prolos, les bougnoules, les Peaux-Rouges de toutes espèces n'ont souvent qu'un désir : céder à la pression culturelle dont ils sont l'objet pour passer dans le camp de leurs oppresseurs. Ce n'est pas nouveau, déjà les Romains utilisaient l'arme de la culture, d'autant plus efficace qu'elle accompagne une évolution technique évidente. Il n'y avait pas plus empressé qu'un Bourguignon ou un Belge à entrer dans le circuit des romanisés. On ne veut plus être des sauvages. On a honte. On adopte la cravate avec la machine-outil.

La fascination de la bourgeoisie constitue un énorme point faible qui empêche certaines catégories de besogneux de remettre sérieusement en question leur contrat de travail. L'attrait des bonnes manières, de penser et d'agir, c'est un handicap redoutable pour les gens de médiocre engeance, surtout quand ils se sont un peu haussé le col, un formidable outil de récupération. Mettons que vous soyez revendicateur. Que vous en ayez gros sur la patate, d'une cause à vous que vous défendez. Vous faites un peu de bruit, on veut vous voir. Vous acceptez des causettes, des invitations. Un peu plus et vous vous retrouvez dans des coquetèles, sans savoir comment. Vous rencontrez monsieur Machin, que vous ne portez pas dans votre cœur; qui a dit sur vous et votre cause des tas d'horreurs... Eh bien il est distingué, rasé partout. Il porte beau. Il vous fait des sourires énormes, vous passe le petit sandwich au caviar. Il est heureux de vous rencontrer... Vous n'allez pas lui mettre la main dans sa figure! Il fait chaud, les murs sont bien décorés, y a plein de jolies femmes, des tas de gens qui passent, qui se tendent les bras... On vous présente. On te donne du cher confrère, des petits fours, des bons coups à boire... T'es content. Ça désamorce ta mauvaise grâce. On te fait entendre qu'on est entre nous ce soir que diable! T'es intelligent, tu vas pas faire l'énergumène. La polémique c'est pour demain. On te ressert deux doigts de champagne. Ça te rend l'humeur compréhensive... Ça va bientôt te clouer le bec mais ça tu le sais pas encore!

Un rien nous amuse nous autres, gens de rien. Les beaux tapis, les belles nappes. On fait semblant d'être dégagé, bien sûr, tout à fait dégrossi, comme si ces choses étaient naturelles... Dans le fond on est baba, ravi d'être là, d'être considéré. C'est le signe tangible qu'on est sorti de la crotte originelle, des mauvaises odeurs de cuisine, des toiles cirées, des ragoûts de notre maman... De la classe des pauvres! On fait attention où on met les pieds...

On est fragiles à cause de ça. Ce sont les fils de bourgeois qui sont purs et durs quand ils s'y mettent. Ils connaissent les combines, ils ne se laissent pas aveugler.

Nous, à force de voir miroiter les hochets de la bourgeoisie, nous risquons de confondre un peu les valeurs si l'occasion se présente. C'est comme moi avec les fauteuils. Je suis allé en Angleterre, j'y ai découvert les fauteuils. Je ne m'étais jamais assis que sur des chaises pratiquement. J'avais rarement utilisé des fauteuils, et toujours dans des situations déplorables : la salle d'attente d'un médecin, ou chez un riche, un soir, mal à l'aise, guindé, sans pouvoir jouir du siège comme il aurait fallu. En Angleterre ils ont des fauteuils superbes, partout. On s'y assoit tous les jours. Des profonds, des cuirs, des tissus, de toutes hauteurs et formes... Y en a même qui ont de grandes oreilles pour protéger des courants d'air. Or il se trouve que le fauteuil convient magnifiquement à ma morphologie. Je m'en suis aperçu. J'y ai pris goût. A présent je suis un amateur. — Le fait de ne pas avoir eu ces commodités dans ma jeunesse me fait porter les fauteuils à un degré d'estime, je m'en rends compte, totalement exagéré! Un garçon d'origine bourgeoise est loin d'en faire un tel cas. Au contraire il est las d'avoir les fesses au mol. Ce qu'il aime, lui, c'est la sobriété du banc! Il s'assoit même par terre chez lui — sur la moquette, c'est vrai, ou des coussins pas supportables — mais quelquefois à planches nues, ça arrive, dans un inconfort terriblement rustique!

Pour les réceptions c'est la même chose. Un qui a passé son enfance en tel arroi est beaucoup moins vulnérable. Il s'en fout pas mal des sourires. Les ronds de jambes ne lui altèrent pas le jugement. Il a vu papa, maman... Nous si. Ça risque. On risque de trouver qu'après tout les riches ne sont pas si méchants. Qu'ils ont les idées larges, et beaucoup d'humour... Puis on veut pas se faire éjecter. On en perd le mordant et le franc-parler. On est invité dans la maison des maîtres, on devient poli. Les fils à papa, quand ils penchent de notre côté, ont les coudées plus franches. Aussi ils s'occupent bien de nous. Ils écrivent nos livres, ils font nos films, notre télé, copieusement. Ça leur rapporte pas mal d'argent. Ils lancent nos grèves de temps en temps. Ça marche très fort pour eux. Ils finiront par faire notre révolution, à notre place, on n'aura pas à se déranger — si, un peu tout de même : on fera le gros des troupes pour casser la gueule aux CRS, ces sales fils de culs-terreux...

En tout cas combien d'élus de gauche ont perdu, eux, le sens de la révolution! Et des syndicalistes partis joyeux de leur base lointaine, percutants, virulents de bonnes intentions, qui se retrouvent embêtés, compréhensifs, mielleux, après quelques années au sommet de l'échelle des responsabilités. Ils reviennent vous dire que les affaires sont compliquées. Qu'il faut comprendre. Ne pas vouloir tout avaler... Ils ont un langage technico-lacratique, de la conjoncture, de l'infrastructure plein la bouche; c'est juste s'ils parlent pas latin! Ils expliquent qu'il faut attendre, en somme, se faire une raison, pendant que les copains y laissent leur peau... Ils ont trop vu de choses. Ils sont emballés à la petite cuillère à gâteau.

Les profs dans l'ensemble c'est pareil. On nous a donné trop de réceptions mentales, des tas de spirituelles agapes où nous n'avons pas osé lâcher un seul pet. Nous avons appris dans les livres ce que d'autres apprenaient dans la vie. Un enseignant d'origine prolétaire demeure toujours l'invité de ses maîtres. Il a eu tellement de mal à ingurgiter ses diplômes, seule source de considération — et de finances notez bien! — qu'il finit par défendre la cause des autres. Malgré lui. Il porte sa culture en livrée. C'est ainsi que tant d'anciens bouseux comme moi en sont venus à servir de grand cœur la soupe aux bourgeois [1].

1. Karl Marx avait déjà touché deux mots du fonctionnement de la machine : « ... Tout comme pour l'Église catholique au Moyen Age, le fait de recruter sa hiérarchie sans considération de condition sociale, de naissance, de fortune, parmi les meilleurs cerveaux du peuple, était un des principaux moyens de renforcer la domination du clergé et d'assurer le maintien des laïcs sous le boisseau. Plus une classe dominante est capable d'accueillir dans ses rangs les hommes les plus importants de la classe dominée, plus son oppression est solide et dangereuse. » *Le Capital.*

Que suis-je allé faire dans cette galère, me direz-vous?... Belle madame, j'ai pas choisi. C'était il y a bien longtemps, j'ai subi la loi de l'offre et de la demande, comme n'importe qui. Rimbaud me fait rire : « On n'est pas sérieux quand on a dix-sept ans! » — Oh que si! J'étais sérieux, moi, comme un pape au contraire. Et tous mes copains aussi. C'est bon pour les fils des classes huppées « les tilleuls de la promenade », l'insouciance ailée! Moi je pensais à la retraite.

A dix-sept ans je préparais le concours d'entrée à l'École normale d'instituteurs. J'avais réussi le concours de la SNCF, avec un emploi tout de suite. Mais l'EN, gratuite, m'offrait la seule chance de continuer des études... On me conseillait de tenter. Cela signifiait l'accès aux couches réellement privilégiées, la vie rangée, sans embûche... Le boulot tranquille aux mains blanches, à l'abri du gel et de la pluie — du méchant temps comme on dit chez nous. J'ai tenté, j'ai été reçu. — Et qu'est-ce que c'est que cette histoire de « limonade » qu'il buvait le poète?... On se beurrait la gueule au rouge nous autres, les dimanches soirs de sortie. Y avait Jojo qui était cramoisi, et Basteil qui riait tout le temps... On se soûlait mais on pensait à la retraite. Certaines âmes sensibles trouveront que c'est un peu triste, à dix-sept ans. Que ça met des idées de vieux dans la tête. C'est comme ça, les prolos mûrissent de bonne heure...

En tout cas on allait être instituteurs publics, avec la considération de tout un village et la vie luxueuse dans un appartement avec l'eau courante. Chacun a des choix à sa mesure, ce qui me tentait c'était l'eau courante, à cause de dix ans de seau, de citerne, de godasses mouillées, de perche échappée et de la glace, l'hiver, qu'il fallait casser. Les instituteurs chez nous avaient une pompe sur leur évier. Et puis un jeune enseignant ça épouse une jeune enseignante... Double paye. C'est toujours le grand amour quand il y a une double paye... Et des vacances! Des loisirs de grands de ce monde, tout l'été...

Bref il n'a jamais été question de savoir si j'aimerais enseigner à des gosses. La question aurait été aussi saugrenue que pour un prisonnier en cavale qui voit un train démarrer de demander si la direction du train est la bonne, et à quelle heure il arrive là où il va. Il saute dans le premier wagon le type, et voilà! — Vocation?... Vous voulez rire! La vocation générale des prolétaires occitans depuis un demi-siècle était de véhiculer des messages : dans les Postes, cela va de soi, les Chemins de Fer, ou alors le message culturel par excellence : l'Enseignement. Les classes laborieuses n'ont pas de vocation, elles prennent la porte qui se trouve ouverte devant leur nez.

4

Une casserole à la queue d'un chien

Elle était sûrement intelligente Maud, mais je pouvais pas tout lui expliquer. Ç'aurait été de la politique et il paraît que ce n'est pas bien la politique à l'école. C'est défendu... Je ne pouvais pas leur expliquer qu'ils étaient nés dans une chausse-trape, elle et ses copains, du mauvais côté du tableau. Que l'école n'avait pas du tout été conçue pour eux et que j'en avais assez moi, au-delà du supportable, de faire le guignol pour rien. Je ne voulais plus faire semblant avec tout le monde, mentir au jour le jour avec la société.

Au départ l'école était destinée à transmettre des valeurs bien établies dans un monde solide et carré. Seuls les enfants des classes aisées faisaient des études prolongées. On leur inculquait la belle langue, les connaissances sûres, la morale de leur milieu. On leur disait que les Anglais portaient des chapeaux melons, qu'ils travaillaient à la City, tous dans des banques, qu'ils prenaient le « thi » à cinq heures et que généralement parlant ils n'étaient pas très folichons. Et c'était vrai ! Car ces Anglais qu'on leur décrivait ainsi étaient leurs pairs naturellement, les seuls dignes d'intérêt, leurs homologues de classe, l'« Establishment ». Le coup du « Nous » restait entre soi; toutes les stances littéraires étaient à leur place, les Legouvé grands et petits étaient chez eux, tous les manuels adéquats.

Brusquement on a ouvert les portes du secondaire à la masse, on y a fourré le peuple en tas, mais on n'a pas songé à rectifier le tir. On n'a rajusté ni la machine ni les programmes. On n'a pas donné aux enseignants l'occasion de réviser leurs idées sur la profession, sur le sens de l'instruction ou de la culture. De petites boutiques on a fait des grandes surfaces, mais c'est toujours les mêmes produits que l'on vend.

Il y a quatre ans une enseignante d'un certain âge bombardée du lycée où elle avait fait le gros de sa carrière piaillait aux conseils de classes du CES : « Mais qu'est-ce que ces élèves font chez nous? Je vous le demande! Ils n'ont pas leur place ici voyons! » ... On était gênés. Il a fallu lui expliquer que l'école était devenue obligatoire. Jusqu'à seize ans... Elle l'avait entendu dire mais elle n'avait pas fait le rapprochement, tiré les conclusions pratiques nécessaires : qu'ils étaient là parce qu'ils ne pouvaient pas être ailleurs, et qu'elle ne pouvait plus les renvoyer, comme au beau temps de sa jeunesse, garder les oies. Ça lui faisait un choc à la dame, elle avait cru à une erreur! Ils n'étaient plus du tout adaptés à son cher vieil enseignement des familles, les nouveaux mouflets populaires! Elle n'en digérait plus quasiment! Toutes ses valeurs bien établies, toutes ses belles phrases qui ne passaient plus, les chatteries ordinaires du train-train des belles-lettres d'antan, les tortillages sucrés de la sensibilité délicieuse qu'on lui avait apprise — qui étaient pourtant au programme, c'est vrai, en toute urgence d'examen.

— Qu'est-ce que vous voulez que je fasse de ces voyous?

Elle nous demandait. On n'en savait rien. Un grand de quatrième l'avait traitée de Totoche, ouvertement, un « effronté » disait-elle! Elle allait « de surprise en surprise ». Elle vomissait la race humaine la collègue des jours heureux où seuls s'asseyaient devant elle des fils à papa bien polis... Je me marrais. J'aurais voulu la voir chez mes Transitions. Qu'elle soit étonnée une bonne fois pour toutes!

N'empêche que c'est vrai : personne ne nous a avertis. Naguère les gens allaient à l'école pour changer de condition sociale, échapper à un travail manuel et devenir des petits bourgeois. Aujourd'hui on fait des études pour aller à l'usine. C'est un changement fondamental. L'école n'en a pas fondamentalement tenu compte. Elle s'est agrandie, enflée pour recevoir tout le monde, mais ses structures ont à peine bougé. L'installation de la société industrielle au cours des vingt dernières années a donné à l'école une importance qu'elle n'avait pas autrefois. Avant, celui qui avait son certificat d'études, celui qui ne l'avait pas, faisaient peu ou prou le même travail, menaient rigoureusement la même vie. De nos jours c'est de la réussite scolaire que dépendent le métier, le mode de vie d'un individu. Cela change tout. En quelques années l'école a pris une responsabilité immense qu'elle n'avait pas. Elle peut moins que jamais se targuer d'être a-politique avec un rôle pareil, et nous non plus les enseignants. On ne peut pas se dire a-politique quand on accepte pour fonction de trier les torchons et les serviettes, les ouvriers et les patrons.

On ne nous a pas avertis mais le métier a carrément changé de fonction en une quinzaine d'années. On nous a conservés dans des cadres, des classes, des murs, pendant que tout changeait autour de nous : la société, la vie, les valeurs, les gosses et nous-mêmes... Nous continuons à exercer dans des règles et des structures conçues — fort bien, je le répète — pour le métier d'autrefois. Ça coince, c'est évident. Pour les enfants et pour nous. Certes on essaie de se raccrocher, de s'inventer des systèmes. On change l'agencement des tables en classe, on met le bureau derrière, au fond, sur le côté... On fait neuf sur les murs avec des gravures, des postères. On plonge dans des combines de plus en plus compliquées que nous appelons pédagogie pour faire savant et pour nous rassurer, nous donner du mordant... On en crève. Et le bel échafaudage continue de dégringoler quand même, d'année en année — les enfants deviennent de plus en plus rétifs, turbulents, inattentifs, ignares selon nos canons de beauté, donc perméables à la sélection sociale. Et nous de plus en plus dégoûtés.

Maud avait un joli sourire, rudement fin. De tête elle ressemblait à Stephen, un Anglais, là-bas, dans les Midlands, qui ricanait doucement à la Grammar-School. Il avait la même démarche qu'elle, le même air d'aller quelque part sans qu'on l'arrête. Le même regard en biais quand il observait le monde, et le sourire soudain, mi-hésitant, mi-complice. L'insolence tranquille tempérée de gentillesse. Les mêmes silences... Il n'était pas allé par quatre chemins, à notre première rencontre; c'était au bas du grand escalier néo-gothique qui menait aux classes :

— You're a teacher eh?... You know what they say : those who can do, do, the others teach!

Ceux qui sont capables de faire des choses les font, les autres enseignent... C'est une phrase de Bernard Shaw il paraît; elle m'a souvent trotté dans la tête depuis... Il aimait la peinture lui, on est devenus copains. Il construisait des formes avec ses mains, des couleurs, la seule chose qui l'intéressait. Il est devenu peintre depuis, il fait des expositions partout, en Europe. Il promène son sourire et son entêtement...

Je crois que c'est à cause de Stephen que je lui laissais la paix à Maud. Elle en était un peu surprise.

— Pourquoi vous m'engueulez pas m'sieur?

Elle m'a demandé un soir, brosse à la main, près du tableau, sourire en biais pour tempérer l'audace.

— Pourquoi tu veux que je t'engueule?

— J'apprends pas mes leçons, rien...

— C'est toi que ça regarde, non?...

Elle n'était pas sûre, elle se méfiait. Elle avait trop l'habitude des gesticulations, des injures braillardes; ma mansuétude l'inquiétait.

— Vous me trouvez trop bête?

— Pas du tout! Si tu ne veux pas apprendre l'anglais, tu dois avoir tes raisons?...

— Mais ça sert à rien m'sieur! — elle s'indignait.

Faites pas semblant de pas comprendre! On n'en fera plus l'année prochaine de toute façon!

— Tu vois bien que tu as tes raisons...

Elle a effacé le tableau en silence. Le lendemain elle savait la leçon par cœur, les quelques phrases. Elle avait dû y passer des heures, c'est pas facile quand on n'a pas l'habitude. Elle a tenu à réciter, l'œil goguenard — que je ne risque pas de confondre, qu'elle était cancresse par choix... Ça n'était certes pas très exact, tout à fait faux même en un sens, mais elle avait son point d'honneur : que si elle voulait elle pourrait.

Les autres en étaient chavirés :

— Qu'est-ce qui lui prend?

— Hé, Maud, m'sieur, elle va être malade!...

Elle a répliqué sèchement : « Vos gueules! », elle tenait à sa démonstration. Ça a duré deux-trois jours, obstinément, une semaine. Puis elle a repris ses airs maussades, ses silences et ses petits dessins. Sa longue attente...

Moi aussi j'attendais. La fin de l'heure, la cloche... J'attendais les vacances, les ouiquindes, les jours fériés, tout ce qui pouvait me sortir de là cinq minutes ou quarante-huit heures, ou deux mois... Je me prenais à souhaiter des épidémies de rougeole, n'importe quoi, la mort du président... Les jours de grève! Les soutiens aux mineurs, aux plombiers, aux cheminots... Pour respirer, reprendre mon souffle, oublier... J'attendais la retraite en somme, la fin de l'immense corvée. Le moment où je pourrais mettre ma viande à l'abri — « vieux peut-être, mais peinard! ».

Parce que voilà : pour enseigner il faut avoir la foi.

C'est un vocable qui peut paraître surprenant chez des laïcs patentés, mais c'est le terme exact, celui que l'on emploie abondamment dans la profession. Il faut croire à ce qu'on enseigne, croire à l'avenir, à la culture, au progrès, à la justice. Il n'y a d'enseignants véritables que les missionnaires. C'est ce qu'étaient les bons maîtres nos prédécesseurs; ils avaient des croyances solides en l'homme, en leur mission; ils nageaient dans les certitudes, les participes passés qui s'accordent comme ça et pas autrement. Ils avaient la foi; avec généralement, en face, une contre-foi en soutane pour attiser leurs passions. Ça soutient le moral une forte haine, ça occupe une vie.

Il se la coulaient douce aussi, comparativement. Ils dévidaient du haut de leur chaire, sans méthode et sans falbala, un savoir que personne ne contestait. Ils dictaient leurs cours avec sérénité, selon le principe des vases communicants. Peu importait qu'ils aient en face d'eux vingt, trente, ou cinquante élèves. Ils auraient pu en avoir deux cents, en forçant un tout petit peu la voix... L'important en matière de pédagogie c'était le silence, la discipline jusqu'aux derniers rangs. Ils appelaient les gosses Monsieur, Mademoiselle. « Monsieur Un Tel, veuillez nous lire le texte, je vous prie... » Le jeune homme s'exécutait, bien ou mal, sous l'approbation distante ou le blâme du magister, il récitait devant le tableau, il ne posait aucune question. En anglais, il n'y a pas encore si longtemps, c'était le lisez-traduisez : ziz iz ze classeroume — ceci est la salle de classe. Personne n'était épuisé, ni l'élève ni le maître.

Bien sûr on faisait de la sorte sept ans d'anglais sans

en parler un traître mot, mais quelle importance? Pourquoi aurait-on su parler? Avec qui?... Il n'y avait aucune raison de s'exprimer en anglais il y a seulement vingt ans; on ne voyageait pas, les cinémas ne fonctionnaient pas avec des sous-titres. Il n'y avait pas de pop-music!... Un garçon aurait-il parlé couramment anglais en sortant du Bac qu'il aurait tout oublié quelques années plus tard de toute façon. Ça s'oublie une langue étrangère, il faut la pratiquer régulièrement. Même une langue maternelle se rouille le cas échéant. Il aurait été absurde d'apprendre à parler en classe. L'intérêt était ailleurs, dans la gymnastique intellectuelle que suppose toute traduction, et en définitive dans l'approfondissement de sa propre langue.

Maintenant nous sommes une succursale de Wall Street, nous baignons dans l'anglo-saxon. On nous vend déjà des produits avec des notices exclusivement en anglais; tous les machins électriques portent les indications ON-OFF au lieu de MARCHE-ARRÊT. Naturellement il faut apprendre la langue, et très bien! Il n'est plus question de faire des études scientifiques sans la connaître, ni même de se lancer dans l'épicerie en gros. Par conséquent les professeurs ont dû changer, parler comme des disques. Nous avons acquis une fonction précise, sur laquelle veille la CIA, celle de démarcheurs pré-publicitaires : nous préparons le terrain. Nous balayons les résistances devant les pas des négociants internationaux, de sorte à ce que personne ne soit choqué par leurs nouveaux graphismes... Seulement le hic, c'est que nous avons toujours pour accomplir cette tâche nouvelle, sanctionnée par des examens oraux, les mêmes structures de base : quatre murs, un blaqueboarde, de la craie, un bouquin, deux bras, deux jambes, et trente-cinq élèves en face! Au nouveau prof de se débrouiller, de mouiller sa chemise dans un corps à corps pathétique avec sa classe, le vent de la panique en poupe. Pas étonnant qu'il s'enrhume... Qu'il s'absente. On a remplacé l'exposé placide des règles de grammaire par de la gesticulation forcenée, ça laisse des courbatures. De missionnaire le prof est devenu combattant!

Tous les spécialistes savent qu'il faudrait d'autres conditions : huit élèves à la fois, à petites séances quotidiennes de vingt minutes, un tas de matériel, toutes choses qui supposent une réorganisation totale des cadres dans lesquels on se débat. On apprend aujourd'hui une langue en six mois si l'on veut bien — si on en a besoin — il est grotesque d'occuper des années durant à coups d'heures trépidantes l'attention de la jeunesse. Tout ça pour faire semblant; car en définitive ceux qui apprennent réellement l'anglais, et ils sont de plus en plus nombreux, sont ceux dont les parents peuvent se permettre de les envoyer en vacances en Angleterre ou aux États-Unis. Vous parlez d'une égalité des chances!

La société a prodigieusement changé en quelques décennies, chacun le sait, le répète, presque tous les comportements se sont modifiés : affectifs, intellectuels, sexuels, alimentaires. Et nous essayons d'enseigner à la manière du XIXe siècle! On demande aux gosses, alors qu'ils sont, eux, les plus touchés par ces transformations, de réagir comme leurs grands-parents qui vivaient dans un silence millénaire. Certains jours l'attention des enfants est totalement dispersée; il faut répéter trois fois la même chose à une petite classe pour être entendu. C'est un des aspects épuisants qui mettent la plupart des profs en fureur. Ce qui me frappe le plus, personnellement, c'est que les gosses parlent tout seuls, entre eux, sans se cacher. Cela sans agressivité aucune, même s'ils s'intéressent à ce que vous dites pendant le même temps. Ils trouvent naturel de bavarder, ouvertement, sous votre nez, en toute amitié.

Après bien des récriminations je me suis aperçu qu'ils sont sincères. Ils ne comprennent pas que leurs bavardages puissent déranger. C'est que leurs habitudes ont changé : ils transportent en classe la manière dont ils regardent la télé ... Attention : il ne s'agit pas d'accuser une fois encore la télévision mais d'observer un comportement pratiquement irréversible et le décalage qui en résulte avec nos façons de procéder. Nous avons à présent des générations pour lesquelles le discours plus ou moins continu est apparu pour la première fois de leur vie au petit écran — fût-ce sous la forme de Nounours. Il en résulte qu'ils ont grandi avec le sens de la parole différée et qu'ils n'ont pas acquis le même rapport de personne à personne que nous avions dans le déroulement du discours. Autrement dit ils confondent quelque part la voix du prof avec celle du type qui cause dans la boîte. La notion d'insolence qui nous conduisait à nous cacher pour transmettre une impression au voisin, bouche couverte par la main, leur est étrangère. Cela d'autant qu'ils ont acquis l'étrange faculté — que nous n'avions pas — de suivre une émission et de faire autre chose en même temps : dessiner, lire un bouquin. Et bien sûr ils arrivent à faire leurs devoirs devant le poste.

Avoir constamment du bruit autour de soi est en effet un phénomène récent — musique de fond, transistor, juke-box, télé, voitures, marteaux-piqueurs... Nous avons nous-mêmes, adultes, oublié le silence, comment veut-on que les enfants qui ne l'ont jamais connu puissent se comporter sur un modèle de monde silencieux? Dans un monde rural, ou para-rural des cités de naguère, les manifestations sonores, par beau temps, étaient exclusivement produites par l'homme ou l'animal, toujours en direct, et dans des limites de décibels fort raisonnables, qui culminaient probablement dans le hennissement d'un cheval et le carillon des cloches.

Je n'ai pas l'intention de me lamenter sur les conditions de vie passées; elles avaient leur rudesse. L'homme — du moins l'homme au travail — était un fameux bestiau. Je préfère l'eau courante à tous les puits et toutes les riantes fontaines avec un seau au bout du bras, lourd à vous déboîter l'épaule. Il ne s'agit pas de brosser des tableaux idylliques là où il n'y avait que corvées et crève-corps mais de constater une évidence : le comportement sensoriel de l'individu s'est modifié avec l'environnement.

Mettons qu'il y a trente ans, avant les tracteurs, un paysan soit en train de sarcler des betteraves dans un champ au bord de la route. Un voyageur passe, à pied. Le paysan le voit venir de loin; plus exactement il l'entend d'abord, à cause du claquement des sabots ou des gros souliers, voire du choc intermittent du bâton de marche. Ce bruit a déjà une signification importante :

quelqu'un va passer sur la route. L'échange sera plus ou moins long, plus ou moins riche, mais il constituera un petit événement dans la matinée de travail. L'événement dépend du personnage en marche et le paysan, tout en continuant à manier la trane, va essayer de deviner qui vient. Première constatation, il s'aperçoit qu'il ne connaît pas le pas de cet homme — on reconnaît ses voisins à distance, question de rythme, d'attaque du sol, de chaussures... Machinalement le paysan procède par élimination : ce n'est pas Louis, ce n'est pas Germain... A cause de la haie il doit attendre que la silhouette ait dépassé le tournant; sans cesser ses gestes de sarclage il suppute les chances que ce soit une connaissance plus lointaine, un habitant d'un village voisin. — Un observateur extérieur ne soupçonnerait même pas l'activité fébrile qui a lieu sous le chapeau du cultivateur, pourtant son attention est extrême.

L'homme a lentement passé le virage, il se rapproche à présent à découvert. Surprise : la silhouette est totalement inconnue. A partir de là un suspense s'installe : d'où peut venir cet individu et où peut-il aller?... Les suppositions se pressent. Bref lorsque le personnage est à vingt mètres il est déjà jaugé, pesé, à sa mise, à sa démarche, laquelle donne une indication importante sur son caractère, son humeur... Toutes les hypothèses ont déjà été faites sur son compte. On est en plein événement mais rien ne transparaît. Le paysan continue sa besogne — il ne serait pas poli de lever le nez trop tôt. Le passant, de son côté, est conscient de la curiosité qu'il provoque, c'est à lui de parler le premier. Il parle; il lance un bonjour à dix mètres. Le paysan se relève alors, allant quelquefois jusqu'à feindre courtoisement la surprise, et un autre acte se joue.

Dès les premiers mots la voix de l'étranger va être extrêmement précieuse — non pas ce qu'il dit : il émettra quelques remarques sur la qualité des betteraves, sur le temps... Il lui sera répondu par d'autres banalités, mais pendant ces échanges anodins le paysan recueille ses informations et les analyse : l'intonation, la prononciation vont fournir des clefs décisives sur l'origine probable de l'homme... La conversation éclaircira la suite au cours d'une petite halte riche en échange de nouvelles, le manche de l'outil calé contre une fesse pour soulager un instant les reins, en miséréré des champs.

Il est évident que dans un tel mode de vie la relation aux autres, la relation à la parole de l'autre, est extrêmement différente de celle qui résulte du côtoiement journalier de dizaines, de centaines de personnes dans une relation professionnelle actuelle, voire de milliers d'êtres anonymes dans la foule des métros et des autobus. Parler ou ne pas parler à quelqu'un avait un sens fort : seuls les gens brouillés « ne se parlaient pas ». D'autre part la faculté d'attention dans une civilisation rurale est telle que la mémoire prend parfois des proportions étonnantes. Un paysan remarque tout. Il y a quelques années, au cours d'un voyage en voiture de Brive à Bordeaux, mon cousin avait retenu tous les détails de la route. Il s'étonnait de mon insouciance : « Tu sais bien, il y avait une petite grange à droite... Mais si, avant Libourne, après un virage... » Il se rappelait les champs de luzerne, les maïs, les vignes, les maisons, les carrefours, sur deux cents kilomètres!... Écœurant!

L'école a été inventée autrefois en fonction de telles mentalités. Des structures ont été mises en place, fondées sur la mémoire, à l'usage d'enfants élevés dans ce genre de cadre, des enfants qui remarquaient tout. Elles n'ont pas bougé : classe, tableau noir, un bonhomme qui parle... Les enfants si, forcément. Il y a loin des silences agrestes, des allées tranquilles des petites villes d'antan à la foule quotidienne, aux affiches, néon, musique pop... Du reste on ne pourrait pas vivre en ville avec l'attention de jadis. Imaginez quelqu'un marchant dans une rue avec la disponibilité sensorielle d'un homme des bois et des landes : un marteau-piqueur éclate soudain à deux mètres de lui; il tomberait raide d'un arrêt du cœur le pauvre nonchalant! Il est devenu nécessaire d'avoir des protections, de ne plus voir, de ne plus entendre profondément. D'ailleurs, si l'on vient de la campagne, une seule journée en ville vous épuise. On reçoit de plein fouet les mille et une petites agressions citadines; il faut rapidement mettre un voile, tirer une sorte de rideau intérieur... Les enfants actuels sont donc adaptés à une civilisation différente, leur attention aux gens et aux choses s'en trouve profondément modifiée. Il est normal qu'ils s'agitent dans un contexte scolaire qui n'a pas été fait pour eux. Ils sont incapables de tenir l'heure de cours, cette monstruosité!... Et le prof de renchérir, de vouloir quand même, d'exiger à tout prix, de capter par tous les moyens une attention fuyante, impossible! Il fait tout seul les frais du changement.

Il n'y a pas lieu de pleurer sur ces transformations, on ne va pas rendre aux gosses leur placidité; au contraire il devient urgent de compter avec elles et d'adapter le milieu scolaire à ces modifications qui ne sont pas toutes négatives, loin de là. Je pense pour ma part que les enfants ont l'esprit beaucoup plus vif aujourd'hui qu'autrefois, cela grâce à l'audio-visuel précisément. Ils sont soumis dès le plus jeune âge à une gymnastique intellectuelle beaucoup plus intense. Ils sont habitués à traiter une masse d'informations qui les obligent à des enchaînements de la pensée que nous n'avions pas.

Je prendrai l'exemple du cinéma. Les vieux films étaient construits selon une grammaire précise, des règles qui suivaient au début celles du roman classique dans le développement linéaire d'un action. Si l'on voyait un personnage pousser une porte pour entrer dans une pièce, il fallait le voir, au plan suivant, repousser la porte derrière lui pour comprendre qu'il était entré dans la pièce. Cela afin de ne pas dérouter le spectateur. De la même façon, si l'on prenait un personnage assis à un bureau, en train de compulser des papiers, on ne pouvait pas le montrer sans transition marchant dans la rue à la séquence d'après. Les gens n'auraient pas compris, ils auraient cru qu'il se trouvait dans deux endroits différents à la fois. L'ellipse les aurait choqués, tout au moins les aurait distraits pendant quelques secondes de l'action et du propos. Pour être clair il était nécessaire de voir le bonhomme se lever du bureau, prendre son pardessus, son chapeau, et se diriger vers la porte. La grammaire exigeait même qu'il sorte du champ de la caméra. Ce n'est qu'alors que l'on pouvait le reprendre dans la rue.

Chacun sait que le cinéma actuel est loin de s'embarrasser de pareils détours. On peut fort bien sauter du personnage assis devant ses paperasses au même bonhomme à poil sur une plage. Les gens comprennent qu'il est ailleurs en vacances, que le temps a passé... La juxtaposition des séquences aura même probablement une signification, sentie par tout le monde. La mentalité des spectateurs a donc progressivement évolué. Les enfants en particulier sont accoutumés à des tournures elliptiques qui constituent une forme de pensée, un degré d'abstraction qu'ils reportent sur une foule d'autres éléments sans que nous en ayons clairement conscience ; les tout petits reçoivent le monde en images, leur perception de la réalité s'en trouve déjà profondément modifiée.

Il s'est donc créé à l'insu de tout le monde un décalage certain entre la pensée des jeunes et celle de leurs instructeurs — sans parler de leur sensibilité, elle aussi différente. On ne voit pas toujours où on en est... Certains profs expliquent longuement des choses évidentes pour leurs élèves navrés, et laissent de côté des notions qui leur paraissent claires alors qu'elles sont devenues obscures. Cela ressemble un peu à ce que j'ai entendu dire des difficultés rencontrées par des enseignants européens dans certains pays de cultures différentes, en Asie ou en Afrique. On ne s'entend plus... « Ils ne comprennent rien ! Ils sont complètement bouchés ! » — Peut-être, mais c'est parfois que la longueur d'ondes est carrément changée entre l'interlocuteur et l'interlocuté !

Le phénomène est particulièrement sensible dans le domaine de l'humour. C'est fragile l'humour, c'est tout en connivence, ça se fane d'une génération à l'autre, surtout depuis quelque temps. Je défie un prof qui n'a jamais lu *Pilote*, ou mis le nez dans une bande dessinée ni un dessin animé depuis dix ans, d'être en accord quelconque avec sa classe. Combien d'enseignants s'arrachent quotidiennement les cheveux après avoir passé des heures à choisir dans leurs dossiers un texte qu'ils croyaient drôle, dont ils espéraient merveille, une historiette joliment tournée qui les amuse, eux, à n'en plus finir... Ils sont accueillis par un mur d'ennui. « Rien ne les amuse, rien ne les intéresse ! J'ai jamais vu ça ! » vitupère le malheureux, la malheureuse, après un de ces bides à vous faire abandonner la profession de clown. Les recueils sont bourrés de ces classiques de la drôlerie manquée — le célèbre *Trois Hommes dans un bateau* de Jérôme K. Jérôme ne fait plus rire personne. J'ai vu personnellement son pouvoir comique s'étioler d'année en année. Il n'y a là de quoi insulter personne, c'est ainsi.

Sans doute nous nous trouvons dans une période transitoire. Ces choses-là se tasseront d'elles-mêmes lorsque l'ensemble de la population aura assimilé les nouveaux modes d'expression et que pour commencer tout le personnel enseignant sera né sous le signe des étranges lucarnes. Ce sera alors reparti pour plusieurs siècles, tout bien aidant. Certains profs commencent déjà à n'avoir plus ce problème de mésentente. Mon copain Pagliano représente à cet égard une sorte de prototype, il n'est pas le seul. Cinéphile éclairé, il a, c'est important, consacré une partie de ses études universitaires au cinéma ; grand connaisseur en bandes dessinées, non par conscience professionnelle mais par goût personnel, il se trouve totalement de plain-pied avec ses élèves. A partir de cette connivence qui a son origine dans une culture commune, il capte la confiance des gosses et se trouve à même de diriger leur intérêt sans aucun effort d'adaptation particulier, sans jouer aucune comédie, ni à lui-même ni aux autres. Il n'a pas à se « mettre » à la portée des enfants, il y est naturellement. Cela change considérablement les rapports.

Oh bien sûr, ça ne change rien quant au fond, si c'est toujours la même salade qui est à vendre. Ça devient un détail technique simplement. On peut même dire que ce genre de profs, mieux dans la course et plus efficaces, ne serviraient qu'à tromper l'ennemi, s'ils ne transformaient pas en même temps le problème du NOUS de la culture bourgeoise à transmettre — ce qu'ils font aussi heureusement pour la plupart. N'empêche que l'avenir se construira ainsi sur ce plan technique du rapport enseignant-enseigné; d'ailleurs si le contenu venait par hasard à changer carrément de bord, il ne pourrait être transmis que par ces gens de plain-pied.

En attendant, nous qui avons commencé plus tôt, dans un autre âge, nous serons vieux et usés. Nous représentons la charnière entre un vieux monde et un nouveau — la génération sacrifiée en somme.

Sacrifiée et coupable! Nous qui avons le sens de la mission, de la tâche, de la responsabilité face aux parents aux gosses et à nous-mêmes. On se sent continuellement coupable de ne pas en faire assez. C'est un métier où rien n'est jamais fini, où tu gardes le sentiment que tu pourrais toujours en faire davantage. Tu deviens sensible aux remarques, aux allusions à tes vacances. Ah les enseignants!... Les boucs émissaires!... Le moindre couillon qui commence à râler devant toi sur les départements que les gosses ne savent plus te met mal à l'aise. Même si tu n'enseignes pas du tout la géographie, tu prends la chose à ton compte : tu sens l'autre qui te traite de feignant. L'orthographe et tout... Les parents t'accusent inconsciemment de toute l'évolution de la société. De ce que leurs gosses ne sont plus comme eux au même âge, du fait qu'ils ont perdu eux aussi bien sûr le contact avec leur progéniture.

Il y a quelque temps je louais une voiture sans chauffeur pour la journée. Le type derrière son bureau, la cinquantaine, bien mis, cravate, oreilles dégagées à la tondeuse, énergique, carré... Business. Il veut voir mon permis, ma carte d'identité...

— Professeur?... Ah! Ah!... Vous êtres professeur.

On ne doit pas louer souvent des voitures dans le métier parce qu'il était content d'en avoir un sous la main, de prof. Je le sentais. Il avait le sourire, le tortillement d'aise de celui qui aurait deux mots à dire, s'il osait... Qui va oser, qui prend son temps... Je sentais venir la vanne : les grèves, les congés... Son garçon justement qui lui donnait du tracas :

— Et mon fils qui ne sait même pas ses départements!... A quatorze ans! Vous vous rendez compte! L'autre jour il me demande : « Qu'est-ce que c'est le Loir-et-Cher? »

— Ben oui, ça...

Je ne voulais pas le contrarier. Pas m'embarquer dans une discussion idiote, j'étais pressé. Lui pas tellement :

— Hein! Le Loir-et-Cher!... Mais c'est pas tout! Attendez!... Je lui demande un peu les capitales pour voir... La catastrophe! C'est tout juste s'il a pu me sortir Madrid, Rome et Athènes... L'Australie?... Tenez-vous bien!... Il me dit Melbourne, et puis Sydney!...

Je hochais, j'avais un sourire entendu... j'avais vaguement peur qu'il se mette à m'interroger le con! Il avait l'air d'un amateur, son Australie ça avait l'air d'être une astuce... J'étais pas fier.

— C'est bien simple, je lui demande la capitale des États-Unis, il me répond New York!

— Oh!...

La mine scandalisée, tout de suite, je me dissociais d'une corporation aussi feignasse qui ne fait plus son boulot. Mais rien à faire, il tapait du poing sur le bureau, il m'engueulait, moi, le représentant de cet enseignement pourri qui n'est même pas à la hauteur des jeux télévisés :

— Vraiment, je ne sais pas ce qu'ils foutent dans les écoles! Ah pour les grèves, les vacances... Enfin, je ne veux pas faire de polémique...

Il soupirait, il ne voulait pas trop insister, il venait de se rappeler que j'étais un client et tout...

— Mais tout de même, les principales villes de France! Nous, on apprenait les préfectures, monsieur, les sous-préfectures!...

Il faut remarquer que le Français est un fana des capitales. Capitales, racine cap, chef, la tête. Rien de ce qui est le chef ne lui est étranger. Les chefs-lieux de départements! Ah les chef-lieux! C'est de là qu'on dirige bien! C'est là que se trouve le préfet, représentant direct du Gouvernement, de l'ordre. L'Exécutif crénom d'un chien! qui transmet les ordres de mobilisation générale, qui fait réprimer les séditions, tout... Rien n'est innocent. Cette façon de faire seriner les préfectures à nos pères c'était les habituer à l'idée d'autorité gouvernementale, leur forger la discipline dans la moelle des os. Ça a rudement bien marché, il faut le reconnaître : un éminent éditorialiste du journal *le Monde* ricanant l'année dernière sur les efforts des minoritaires pour regagner quelque dignité ne trouvait pas d'argument plus solide pour se moquer des Occitans que : « Où est votre capitale? Hein? Vous n'avez même pas de capitale! » — Étonnant!... C'est une parenthèse.

Pour le public le professeur est d'abord un livre vivant, un puits de connaissances. C'est lui qui en sait le plus, lui qu'on peut consulter, comme à une époque où les livres étaient rares et les lecteurs peu courants. Beaucoup de parents ont gardé l'image du prof tutélaire, du type qui sait tout, un peu sorcier, un peu dangereux sur les bords... Et ils y tiennent! Ils ont besoin de cette image rassurante qui a pris la place de celle du prêtre depuis qu'il n'y a plus vraiment de prêtres. On envoie l'enfant à l'école pour que les maîtres lui apprennent toutes ces belles choses qu'on nous a apprises à nous — ainsi mon fils et moi serons du même bord, en connivence. Le fin du fin dans certaines familles c'est d'envoyer l'enfant dans le collège où le père a été éduqué, où il aura, vieillis mais toujours respectables, quelques-uns des mêmes professeurs. Il sera instruit par les dieux lares eux-mêmes...

Manque de bol, avec notre société bougeotte, nos valeurs à la sauvette, les belles choses de papa n'existent déjà plus. On a passé à autre chose. Un brave père m'adressait un jour des suppliques à la réunion des parents d'élèves, cette cérémonie de concertation où les professeurs, du haut de leur importance, dorent copieusement la pilule aux familles. Il était bouleversé ce père aimable, il demandait que je leur apprenne les belles, BELLES récitations d'autrefois — « les BEAUX POÈMES de la langue française, monsieur, apprenez-leur, je vous en prie! ». Il suppliait. Il a réellement quelques secondes joint les mains... Ça lui manque au papa, il n'en a pas pour son argent. Il avait une fille, il se disait quand elle sera grande elle ira au collège. Elle apprendra ces belles choses que j'ai un peu oubliées... Il la voyait partir le matin avec son écharpe au vent et son cartable, ses bonnes joues, et revenir le soir pleine des jolies récitations. Il la ferait réciter — il pense « au coin du feu » mais se reprend mentalement — il regoûterait au travers de ces jolies choses son enfance à lui... De voir que les jolies choses n'existent plus, il en a un coup de bourdon. L'école lui est fermée. C'est son enfance qui n'existe plus. On a triché avec lui. La société a triché. Les profs ont triché. Moi. Ils lui ont volé son enfance, ils ont changé les jolies choses... C'est tragique d'ailleurs si l'on y regarde... — Il faut dire que les beaux poèmes de la langue française qu'il réclame ce brave homme ému c'est de fameuses conneries le plus souvent. C'est du François Coppée cucul-la-praline qu'il entend le bougre. Mais ah!... Respect!... Ce sont les chants de son enfance, et ce sont des maîtres qui les lui ont appris.

Une société qui bouge tout le temps est une société sur laquelle on ne peut pas danser. C'est à vous donner le mal de mer, à dégueuler tripes et boyaux par-dessus bastingages. C'est vrai. On nous a déjà fauché le petit Jésus, à présent voilà François Coppée qui se barre! Merde! On nous prend tout! Les cerises n'ont plus le même goût... Et l'autre Einstein avec sa tête auréolée de frisettes, qui est allé baver de relativité. Que ce qu'on voit, ça n'est pas exactement ce qu'on voit... Qu'on est mortel pour tout de bon sur une foutue planète de désespoir, voilà ce qu'il ressent le père, au fond de la classe, la figure toute rouge d'émotion. Il en pleurerait que sa fille n'apprenne plus par cœur les belles litanies rassurantes, il en pleurerait comme s'il venait de toucher son cercueil, tout froid. Fossoyeur va!...

A quoi ça sert de faire de la peine à ce monsieur? Pour initier sa fille à quoi finalement? Pour amuser la gamine? Avec des choses que lui démoliront mes successeurs, plus tard, par rejeton interposé, en lui faisant beaucoup de peine encore?... Ah laissez-moi partir, me sauver de là...

— Mais monsieur...

— Y a pas de mais monsieur! Je me barre! Un point c'est tout! Je ne veux plus servir de bamboula à la désillusion du pauvre monde. Je mets les voiles pour ailleurs...

— Ce n'est pas une solution!...

— M'en fous! Tant que les petits enfants morts allaient au ciel quelque part, qu'on leur filait des flûtes, et des bouts d'ailes, et qu'ils allaient faire les cons dans des bouquets de roses, au ciel n'est-ce pas, tout droit, tant qu'ils n'étaient pas que des petits cadavres bleuissants...

— Hé, dites...

— Tant que tu ne voleras point et qu'on ne savait pas que ceux qui disaient ça vivaient à la sueur du front des autres, tant que...

— Bon, bon, ça va...

— Un mot encore : tant qu'on pouvait attacher des casseroles à la queue d'un chien et en rire, on pouvait enseigner quelque chose à quelqu'un.

Enseigner le doute est une bien cruelle entreprise. Apprendre à chercher la vérité c'est très joli, mais si on ne la trouve pas, ou alors chacun la sienne, parcimonieusement, c'est moins exaltant. Monter tout un système de recherche en ne sachant pas très bien ce que l'on cherche, et surtout ne jamais tomber sur un morceau de trouvaille pour s'encourager les méninges, c'est vraiment ardu. C'est plus ardu que de dresser un cochon à chercher la truffe. Parce que le cochon d'abord on lui fait savoir ce qu'il cherche, clairement et sans ambiguïté. On lui fait goûter de la truffe au départ. Ensuite, de temps à autre on lui en met des morceaux cachés qu'il a la joie de découvrir en poussant la terre du groin. Ça lui remet du cœur à l'ouvrage. Tandis que le môme à qui l'on dit : Cherche! Allez cherche!... sans jamais lui annoncer quoi — c'est peut-être ci, c'est peut-être ça... Il en perd l'allant et l'enthousiasme.

Assurément, au début, et il y a encore une vingtaine d'années, on avait une certitude vraie : on croyait à la science et à la technique. C'était même rudement chic comme croyance, ça marchait, on pouvait voir tous les jours les bienfaits. D'une année sur l'autre, les autos devenaient de plus en plus mobiles... Il y a eu une stimulation énorme. Et puis à nouveau on commence à cerner des limites. Elle se désacralise beaucoup la science ce tantôt. La pollution, les cochonneries appliquées... L'atome, sans savoir s'il nous mène à l'extinction de l'espèce ou pas... C'est comme si la truie chercheuse se mettait à déterrer des truffes en matière plastique tout à coup. Elle serait déçue la pauvre garce. Elle finirait par avoir des doutes, elle aussi, sur le bien-fondé de sa mission, sur le charme des Causses, le pouvoir des chênes truffiers, sur tout... Et une truie qui doute ça n'est plus bon à rien.

Quant à en dresser d'autres, assurer la relève en utilisant des fausses truffes aux hydrocarbures! Ce serait la crise de l'enseignement chez les truies je pense. Tout comme le nôtre qui débouche hardiment sur une civilisation de farces et attrapes.

Voilà. Moi je dois dire que ça me refroidit. Je suis comme une truie qui doute.

5

Ni flèches ni écriteaux

Partir, c'est facile à dire... La tentation de beaucoup de gens. Un désir sournois qui remonte aux moments de grande fatigue, les jours où les gosses ont le diable au corps. Un rêve qui devient plus lancinant vers la fin des trimestres : tout planter, prendre la clef des champs, aller faire autre chose... Et puis on prend l'air, une semaine d'oubli, on revient... Les enfants vous reprennent, vous ceinturent à nouveau, vous passionnent. Vous emportent vers d'autres semaines d'espoir. Ah les fameux congés des enseignants! Quel attrape-couillons! S'ils n'existaient pas, il ne resterait pas une personne sur vingt dans la profession. Et encore un bien curieux vingtième! Pas à lui laisser des enfants tout seul à celui-là!... C'est alors qu'on serait obligé de repenser les choses, poser les problèmes de fond.

Mes copains se débrouillent. A partir d'un certain âge ils visent des postes de direction. Ils commencent à se placer sur les listes de postulants aux postes de déchargés de cours. On veut bien demeurer dans l'enseignement mais à condition de ne plus être en contact direct avec les gosses, plus exactement ne pas être enfermé avec eux dans une salle de classe. Ils font des stages, deviennent psychologues, orienteurs professionnels... Partir tout à fait, ça n'est pas commode. Nous ne savons pas faire autre chose en général... Le temps de se rendre compte il est trop tard pour changer de métier. Il faut gagner sa croûte. Lorsque arrivent les vraies lassitudes, la trentaine passée, on est souvent chef de famille. Le traitement est convenable, on a quelquefois acheté quatre murs à crédit, pour vingt ans... Alors on fait sa petite crise, sa dépression. On se fait mettre au vert médical, à la piquouse de tranquillisants, un mois, deux mois, six... Et puis on revient. L'âne doit paître là où il est attaché.

Je parle surtout des généralistes, instituteurs et profs de lettres en tous genres. Les profs de maths et de sciences sont en général mieux lotis : ils ont des matières solides, qui ne s'effritent pas à la moindre analyse. Les identités remarquables sont toujours dignes d'être remarquées, même si on a modifié la présentation, et les métamorphoses du têtard demeurent semblables à elles-mêmes sous quelque éclairage idéologique qu'on les observe. C'est leur planche de salut. Ils peuvent conserver un enseignement carré, quasi autoritaire, et ne pas ballotter au gré de l'humeur de leurs élèves. Ils sont moins tributaires d'eux, ils n'ont même pas besoin de leur confiance en tant qu'individus. La crise d'adaptation aux mathématiques modernes une fois digérée ils continuent d'être abrités par leur savoir et conservent mieux leur foi. Ils ont tous l'air en meilleure santé. Les profs de lettres sont obligés de se coltiner l'enfant dans son intégralité. Ils sont censés former ses goûts, sa sensibilité. Ça n'est pas rien par les temps qui courent! Il leur faut plus que l'attention du gosse, qu'on peut forcer à la rigueur à coups de gueule, il leur faut « l'adhésion de sa jeune personnalité ». Se faire aimer quoi. C'est là que les choses se compliquent, que naît le danger, pour l'enfant et pour le maître.

Tant qu'il s'agit de faire imiter aux gosses des textes littéraires, Flaubert, Colette ou François Coppée, de leur pomper la formule dans le corps, les choses s'arrangent plus ou moins. On fait des dictées... Mais la formule fait écran à la réalité. Je gage qu'on leur apprend encore à dire « clair ruisseau » et « murmurante fontaine » dans les patelins les plus dégueulassement dégorgeants de pourriture synthétique, les instits y vont toujours de leur « onde pure ». Le style, comprenez-vous! Améliorez votre style!... Redoutables fadaises. — Le seul style reconnaissable c'est de dire les choses telles qu'elles sont, telles que le gamin les voit, les sent, les respire au moment où elles se présentent à lui. Et c'est ce qui n'est pas commode justement! De lui apprendre à dire ce qu'il voit, à savoir ce qu'il sent ou ce qu'il pense, en détail. Parce qu'il ne pense pas nécessairement autant de choses qu'on veut bien le croire.

Lorsqu'on parle d'éducation répressive, on suppose implicitement que cela consiste à bloquer un discours naturel pour lui en substituer un autre, à tarir atrocement un jet merveilleux qui autrement se répandrait en prose pleine d'originalité et de profondeur. On part de l'*a priori* que l'enfant est une source vive de notions géniales et d'images fraîches qui ne demandent qu'à fuser pour peu qu'on laisse faire. Dans ces conditions l'éducation non répressive consisterait simplement à laisser le robinet ouvert et à attendre que ça vienne. Je peux me tromper mais il ne me semble pas que ce soit tout à fait aussi simple. Pour ma part je serais plutôt tenté de croire que dans l'immense majorité des cas, sauf exceptions éclatantes, l'enfant n'a au contraire rien de particulier à dire. C'est un petit d'homme, pas un mutant... Tout ce qu'il possède c'est une fraîcheur d'instinct, et on ne disserte pas très longtemps avec l'instinct [1]. L'enfant vit, a des impressions, des sensations, il réfléchit, à sa mesure, découvre le monde immédiat, mais il n'est porteur d'aucun message. Hélas, il est démuni. C'est pour ça que le bourrage de crâne marche si bien précisément. Le gosse ne demande qu'à recevoir des recettes de pensée et d'expression et à les appliquer docilement.

Une anecdote. L'automne 70 a été particulièrement beau. Tout le mois d'octobre a été d'une chaleur remarquable jusqu'à Toussaint; un soleil formidable qui a même, je crois, mordu un peu sur novembre. Dans ma classe à la Fleur du Désert le premier sujet de rédaction était oh à pleurer de banalité : « Décrivez la venue de l'automne cette année. » Eh bien, des trente mômes, pas un ne parlait du soleil. Ce n'était que feuilles tourbillonnantes, brumes, vents glacés, arbres dénudés qui

1. On peut peindre par contre, chanter, danser, rogner des bouts de bois, dévisser des rayons de bicyclette... S'exprimer d'un tas de façons qui, justement, sont passablement réprimées par l'école, laquelle n'accepte que les bavards!

dressaient leurs squelettes vers le ciel pâle. On était là, dans la classe, à transpirer sous les verrières, en bras de chemise, les arbres maigrichons de la cour avaient à peine viré de teinte, toutes feuilles encore bien accrochées, qu'ils parlaient des « premiers flocons tourbillonnants ». Le mot « frimas » (qui ne s'emploie plus que dans les écoles) revenait dans la moitié des copies, le sol « dur et glacé », toute la panoplie y passait.

Seulement il y avait un os. Comme chaque élève lisait sa rédaction à tour de rôle et à haute voix aux copains, ça faisait un curieux décalage. Il faisait ce jour-là un soleil de plomb. On regardait par la fenêtre ouverte :

— Excuse-moi de t'interrompre, mais... Où tu les vois tes flocons? Et les feuilles tourbillonnantes?

Le môme faisait le nez long. Les autres rigolaient — pas trop fort, parce qu'ils avaient tous les mêmes gelées blanches sur les feuilles.

— La bise, si tu veux... Si tu la sens vraiment. Mais ça m'étonne. Et les arbres, tu les trouves décharnés? Regarde bien...

Ah quelle gêne! Je tâchais de m'étonner avec franchise, de n'être surtout pas ironique et vexant dans le ton. Le sarcasme est particulièrement destructeur.

— Tu es sûr que tu ne t'es pas trompé?

Au bout du troisième interprète, Sylvie, forte en langue, voyant que rien n'allait plus, s'est levée toute raide :

— Mais m'sieur! On nous a toujours appris à décrire l'automne comme ça!...

Elle s'étranglait d'indignation, et la classe a fait chorus, ils défendaient leur morceau :

— Oui m'sieur! Tous les ans!

On ne se connaissait pas encore très bien, ils me faisaient un œil torve. Quel drôle d'hurluberlu ils avaient hérité là! Gâcheur de métier!

— L'année dernière, m'sieur, j'ai écrit tout pareil et j'ai eu une bonne note!

Il a fallu bien des sourires, et de la patience, pour qu'ils acceptent de recommencer. Qu'ils acceptent de voir que cette année il faisait beau temps. On a discuté un peu. On a trouvé des tas de choses. Y avait même des violettes qu'une gamine avait cueillies la veille, sur un talus. Elle l'a dit. Tout le monde était émerveillé. On a réfléchi sur ça... Il a fallu tout revoir, la façon de penser. Et c'est pas commode de décrire des arbres encore fringants fin octobre, avec, pourtant, une lumière comme ci, qui n'est plus la lumière d'été.

Ce qui fait quelquefois illusion sur la soi-disant capacité des enfants à s'exprimer spontanément c'est la surestimation que nous faisons de leurs propos. Ils apprennent, heureusement, par osmose, ils pompent à leur insu les courants de culture dans lesquels ils baignent — chose que les éducateurs refusent souvent de prendre en ligne de compte parce qu'ils veulent à tout prix que ce soit eux qui leur insufflent tout; un maître accepte mal l'idée que le gosse peut apprendre en dehors de lui et de sa méthode. Or lorsqu'un gamin ressort un reflet de la pensée commune il étonne. Si un garçon de dix ans écrit dans un texte libre : « Les enfants de dix ans souffrent partout où les hommes se battent. Je plains les enfants partout où les avions les écrasent », on va crier au miracle. Petit génie, la vérité sort de sa bouche et coetera... En réalité il s'agit d'une affirmation extrêmement banale qui reflète la tendance très générale de l'opinion du moment face à la guerre dans le monde et aux images que nous en recevons. De plus, en écrivant ces phrases le gosse sait très bien l'effet qu'il va produire sur son entourage charmé qu'il flatte dans ses bons sentiments. La preuve c'est qu'il est rarissime qu'un enfant aille à contre-courant de la pensée ambiante et qu'il annonce par exemple : « Quand je vois à la télé des enfants de dix ans qui se tordent sous le napalm, je me régale. » Pourtant, si on creusait beaucoup... Ah je ne veux choquer personne!...

Nous avons tendance à exagérer la portée du texte de l'enfant parce qu'il nous rassure. Cela fait partie de la fascination que les jeunes exercent sur nous depuis un peu plus d'une décennie. Fascination quelquefois inversée qui peut aboutir à la haine, certainement, mais à laquelle nul n'échappe vraiment. Seuls les jeunes sont assez souples pour assimiler les techniques nouvelles et vivre avec elles. Un ingénieur de cinquante ans sait moins de choses que celui de trente, lequel commence à redouter la concurrence de celui qui débute, plus monnayable parce que plus au fait des toutes dernières théories, d'avenir. C'est sans doute la première fois qu'un tel phénomène se produit dans l'histoire de l'humanité, sur le plan intellectuel. Cela a toujours existé sur le plan physique évidemment, mais alors que l'homme vieillissant contrebalançait la perte de sa force par sa science et son expérience, maintenant il perd tout. Ça flanque une belle frousse. Alors on se tourne avec espoir mêlé de crainte vers les jeunes qui apportent la musique, la mode, le sexe — crainte qu'ils nous bouffent, espoir inavoué qu'ils découvrent du vraiment neuf. C'est tout juste s'ils ne nous font pas l'effet d'être en contact avec des puissances obscures, prenant du coup le prestige qui revenait aux anciens. On les croit confusément branchés sur les ondes transcendantales... Mystère,.. Nous nous mettons à leur écoute. Nous attendons qu'ils trouvent ce que nous n'avons pas trouvé. (Encore une chose commode pour enseigner!) Comme les enfants sont tendres et nouveaux venus, on espère vaguement qu'ils ont un message épinglé à leur barboteuse... On regarde bien s'il n'y a pas par hasard une enveloppe qui traîne « à ouvrir au moment opportun », avec un mode d'emploi pour débrouiller les pistes confuses de notre civilisation [1]. Des fois qu'ils nous sortiraient du merdier dans lequel nous nous sommes plantés!...

A l'opposé du bourrage de crâne il existe donc le mythe de l'expression spontanée qui consiste à dire aux gosses : allez-y, inventez, racontez tout ce qui vous passe par la tête, ça m'intéresse! C'est une technique certainement moins dommageable que l'autre, enrichissante bien sûr, par la libération qu'elle procure; mais elle me paraît, elle aussi, limitée. Je connais une brillante institutrice qui obtient dans ce domaine des résultats tout à fait surprenants. Par le truchement de motivations choisies elle embarque sa classe dans des aventures splendides et les enfants, c'est vrai, racontent, inventent, sont intarissables. Les séances d'écriture ont lieu au terme de visites, de sorties diverses, de lectures, destinées à fournir

1. Allusion à la pièce de J.-P. Sentier et D. Lalou, *Le Coït interrompu*.

un « matériau » d'idées et d'impressions brutes, et sont accompagnées d'un important cérémonial. Les enfants disposent par exemple de l'après-midi entier; on met de la musique d'ambiance; on se recueille... On tire même les rideaux pour créer une atmosphère.

Les résultats sont d'autant plus probants que Michèle garde les mêmes élèves deux ans et qu'elle a ainsi le temps de les débrider à loisir et d'établir avec eux des liens affectifs sans tricherie — les gosses la tutoient, etc. L'espoir bien sûr, comme dans tout exercice scolaire, est que des enfants ainsi entraînés continuent leurs progrès et deviennent par la suite des champions de la rédaction. Or — Michèle en est surprise et attristée — lorsque ses élèves la quittent, leur extraordinaire faculté d'expression créatrice semble s'évanouir. Ils entrent en sixième et deviennent des élèves très ordinaires, pas meilleurs que les autres. Évidemment on peut penser que la répression qu'ils subissent de la part de profs plus traditionnels aux mains desquels ils passent leur produit un choc. Ils se recroquevillent et finissent par s'étouffer, cela se comprend. D'où la tentation de baisser les bras : ça n'était pas la peine de se donner tant de mal!

Mais cela signifie aussi, indéniablement, que leur moyen d'expression n'était pas solide — qu'il y avait quelque chose de surfait dans leur habileté. Ce qui se passe, à mon avis, c'est que Michèle a trouvé le moyen de se défouler avec sa classe. Je veux dire que dans le climat affectif — cher à Freinet — qui s'instaure, elle réussit à transmettre aux enfants la profonde envie d'écrire qui est la sienne, et que de toute évidence elle refoule. Cela est banal; ce qui l'est moins c'est que dans un tel climat elle parvient à leur insuffler aussi, peut-être, une forme d'inspiration. En d'autres termes il se crée entre elle et eux un tel mimétisme qu'ils finissent par écrire à sa place. Un phénomène analogue à celui qui a dû se produire il y a un peu plus de vingt ans dans le cas célèbre de Minou Drouet. Cela expliquerait qu'une fois éloignés de son influence ils n'ont, approximativement, pas plus de choses à dire que leurs petits copains. Il leur reste une nostalgie, comme après un voyage, mais pas vraiment une expression à eux. Ce sont même des élèves plutôt désorientés...

Tout comme les miens, après que je leur ai eu barboté leur automne, leur givre et leurs vents mordants. Ils étaient plutôt perplexes cette année-là — et moi aussi. D'autant qu'il aurait fallu, pour les requinquer solidement, leur parler comme à des personnes, un à un. Il aurait fallu, pour que la leçon soit efficace et moi pas trop déglingué, qu'ils soient huit ou neuf, que je puisse leur sortir individuellement les vers du nez, élaborer leur langage. Ils étaient trente-deux... Finalement ce sont ceux qui savaient déjà écrire qui ont profité de la leçon. Les autres, les sans-langage-socio-culturel, je n'ai pas eu le temps de les approcher. Je n'ai réussi qu'à chavirer un peu plus leurs notions en les privant de leurs feuilles mortes, de leurs perchoirs à perroquets. Pendant toute l'année j'ai peut-être ouvert un peu les esprits, mais pour y semer la panique. Ma liberté d'expression ils ne savaient qu'en faire pour la plupart. Au troisième trimestre il s'était creusé un fossé encore plus énorme entre les « bons » qui s'étaient débloqués, qui avaient pris goût à l'écriture, et les traîne-la-patte à qui je n'avais pas donné les recettes, fait ingurgiter les joliesses obligatoires en vue d'examens futurs. Je les avais un peu déculpabilisés sans doute, mais il aurait fallu encore deux ans de travail patient, peut-être davantage, en profondeur, pour qu'ils remontent une autre pente, à leur pas. Qu'ils aient à la fois le droit à l'erreur et le droit de se taire. Que la recherche de leur expression soit motivée par le besoin de faire passer des idées, des émotions, et non pour l'expression elle-même. Parlez-nous de l'automne... Si on s'en fout de l'automne?... Je sais bien que mon exemple est particulièrement bête (encore que cette bêtise-là soit la règle quasi générale) mais après tout le môme qui n'a rien à dire n'a pas besoin de savoir s'exprimer. Il faudrait pouvoir attendre qu'un beau jour il ait pensé quelque chose, qu'il ait besoin de communiquer, et alors le guider, l'accoucher, avec discrétion; qu'il ait l'impression de trouver tout seul, de découvrir pour lui-même; en somme former un autodidacte.

On serine trop les choses à l'école, on mâche trop, on est trop pressé. On annonce tous les virages, trois heures avant... Attention à ce verbe! Il est tordu! Vous accrochez pas à cet adjectif, il est pourri! ... Après la troisième proposition tournez à droite dans la principale... Comptez trois points et embrassez la métaphore! — Non, il faut se paumer une bonne fois, tout seul, avec angoisse, pour se mettre à repérer les lieux, pour acquérir le sens de l'orientation. Si les campagnards ont tant d'attention, à part le silence, c'est peut-être parce que la campagne ne porte ni flèches ni écriteaux.

On n'a pas le temps ni les moyens dans une classe traditionnelle de faire du profond, de laisser mûrir, de donner confiance, peu à peu, à petites doses d'encouragement, pour que les élèves culturellement démunis trouvent leur propre expression, prennent leur pensée à leur propre compte. Ce serait de la socio-logothérapie, en passant par la psycho du même nom. Tout le contraire du bourrage. Dans l'état actuel des choses ça n'est pas possible : on trie, on note leste, on classe, on oriente... Et on part en congé.

La pédagogie c'est de la merde. Je le dis tel que je le pense, du moins celle que nous pratiquons. Je le dis en homme qui a suivi un entraînement pédagogique intense, des stages, des classes d'application avec des champions du coupage de cheveux en quatre. En homme qui a passé quinze années de sa vie à disséquer des éléments de structures anglaises, à les présenter un par un comme les éléments d'un jeu de construction, à les empiler chaque fois de façon plus rationnelle et plus attrayante... C'est du bluff! De la poudre aux yeux.

Je connais un petit garçon qui a décidé de faire du karaté. Ça intéresse bien les petits gars... La télé, les copains, un authentique besoin de violence aussi... Bref, il a réfléchi longtemps, son envie montant en lui de mois en mois, de semaine en semaine. Puis il s'est inscrit. Il est arrivé un soir dans une salle où s'ébattaient une trentaine de personnes, jeunes gens et adultes mêlés, tous avec des ceintures différentes, et qui étaient en plein ébat! Personne ne lui a dit : alors voilà, le karaté, gnia gnia, mets tes pieds comme ci, tes mains comme ça, ton torse, recommence... Rien. Personne ne s'est occupé de lui. Il s'est mis à imiter ce qu'il voyait faire. Ses voisins immédiats lui ont donné aimablement une ou deux indications c'est tout. Le moniteur à la sombre ceinture, passant à côté de lui, lui a lancé « c'est bien petit! » Une fois. C'est tout. — Deuxième séance : la même chose... Je me suis dit, c'est bizarre. Aucune pédagogie, rien n'est expliqué... Comment il va apprendre? On est formé comme ça, nous autres magisters dans nos têtes, à croire que si on ne part pas d'un A haché menu jusqu'à un Z, rien ne va plus.

Erreur! Le petit gars apprend très bien. Et avec joie! Et très heureux! C'est pourtant un drôle de crève-corps. En fait, d'être mêlé de but en blanc à un groupe hétérogène qui s'entraîne avec le sérieux du défoulement, il doit capter, toute son attention en alerte. C'est lui qui s'initie, de son bon vouloir, et il dispose pour ce faire non pas d'exemples truqués, conconctés pour la seule comprenotte, mais d'un ensemble vivant en action : de la chose vraie. Alors il suit, il s'adapte. Ça ne pose aucun problème.

Vous me direz : c'est peut-être parce qu'il a affaire à des moniteurs de fortune, que ces gens n'ont pas été dressés comme il faut à l'art de la pédagogie, qu'ils font comme ça parce que les pauvres ignorent qu'ils pourraient faire autrement, être vraiment didactiques, par conséquent plus efficaces? L'idée m'a effleuré naturellement, on n'est pas prof pour rien. Deuxième erreur : il se trouve par hasard et renseignements pris qu'il s'agit d'un club tout à fait réputé dans ce genre de mimodrame et qui possède même le champion d'Europe actuel de la catégorie! Ah! ... C'est donc qu'ils savent à peu près ce qu'ils font. Que ces non-pédagogues utilisent un système qui fait ses preuves!

— Oui mais dites...

— Un instant!...

Ça pourrait être pareil pour tout — avec des modulations de détail bien entendu. Si un petit gars voulait apprendre l'anglais, qu'il veuille vraiment, qu'il vienne s'inscrire, qu'il tombe sur un petit groupe dans lequel on parle effectivement anglais, où on serait gentil avec lui sans se soucier de ce qu'il sait ou de ce qu'il ne sait pas, il nagerait pendant un temps X, puis piquerait des bribes ici et là, puis voudrait lui-même en placer une — il faudrait bien, en admettant que le groupe s'active à autre chose en même temps, une occupation manuelle. Au bout d'un temps il s'aviserait qu'il peut écouter des bandes dans des cabines. Il se louerait une cabine. Il dégotterait des bouquins, conseillé par le moniteur bien sûr, au fur et à mesure des besoins, et aussi par les autres, ceintures bleues et vertes d'anglais. Il interviendrait de plus en plus largement dans l'activité langagière du groupe... Et il apprendrait bel et bien l'anglais! Et je le crois, en profondeur, solidement, car c'est lui qui apprendrait, et non une tierce personne qui lui pomperait artificiellement la science.

— Mais...

— Quoi?

— C'est encore de la pédagogie.

— Heu...

— Voyons! C'est un procédé connu, répertorié! Que l'on applique depuis belle lurette!...

— ...?

— On l'appelle « pédagogie non directive ». D'où est-ce que vous sortez?

— En effet!

J'ai un peu battu autrefois. A coups de règles, de taloches, pour me faire bien voir des parents, des collègues. Pas trop... Pas longtemps. Trois-quatre ans... J'ai fait de plus en plus la sourde oreille à la demande de coercition. C'est une maman qui m'a dégoûté. Elle voulait que je tanne son garçon tous les jours, le matin et l'après-midi. Elle insistait : des bonnes baffes, que je le dresse tout comme il faut pour lui soutenir l'attention. J'ai essayé, consciencieusement, comme un bon maître que je souhaitais devenir... J'avais mis le gosse au premier rang, à portée de pogne. Je le giflais très régulièrement... Au bout d'une semaine la mère est revenue geindre que c'était pas assez fort, que j'étais un mou, un nonchalant, qu'elle exigeait que je le rosse vraiment, à vraies beignes violentes sur sa petite gueule. Elle avait l'œil luisant de haine... Je me suis rebiffé. Il avait douze ans son môme, un peu turbulent mais mignon, des bonnes joues sympathiques... J'ai refusé. Tant pis pour mon prestige, j'ai dit non. Tant pis pour moi, ça a jeté un sérieux doute sur ma valeur professionnelle auprès des gens, du directeur...

C'était encore une époque où les parents étaient heureux si leurs enfants se rendaient au collège verts de peur, le ventre noué de trouille. C'était la preuve qu'ils avaient de très bons professeurs. Car l'effort, n'est-ce pas, la valeur morale de l'effort venue de nos maîtres et du lointain des temps, la manière héritée des jésuites, croyance de toujours que les enfants doivent en baver avant toute chose, elle est toujours là, en masofiligrane. On y croit beaucoup quand on est débutant. On pétule et on caracole, faut que ça marche et que ça enseigne, et que ça apprenne ses leçons! On considère les gosses comme du bétail à apprendre. Les jeux, les ris!... Ça va pas non? La seule chose qui importe c'est le rendement. Et puis on n'a encore aucune réputation personnelle, on veut s'en forger une vite fait, de professionnel impeccable, bonnes notes et bons rapports. Les gosses nous servent de faire-valoir...

Quand on prend de l'âge, on les voit d'un œil différent. On pense, les chères petites têtes, à leurs cancers futurs. Les mignonnes gamines mutines courtement enjupées, on leur voit des varices, des phlébites, des tracas... On songe à leurs coronaires, leurs infarctus au bout du chemin. On se dit que faire à ce point chier le monde c'est cruel quand on imagine la fin.

On devient tolérant...

6

Le manteau de la gamine

J'avais une gamine dans cette classe qui n'arrivait pas à sortir un mot. Treize ans, grande pour son âge, apathique, elle disait oui, non, d'un air buté. Mal embranchée sur ses leçons je ne connaissais pratiquement pas le son de sa voix.

Un jour elle arrive avec un manteau neuf, tricoté en grosse laine rouge violet. Elle était la seule à porter une chose pareille. J'avais déjà essayé d'accrocher un peu la conversation, sans résultats. Ce jour-là, en sortant de classe, j'essaye encore :

— Il est joli ton manteau. C'est toi qui l'as tricoté?

Elle a rougi entièrement aux couleurs du paletot :

— Oh non, c'est ma mère.

Elle n'en avait jamais dit aussi long. J'y connais rien en tricot, mais du coup je fais semblant de m'intéresser. Je veux savoir, admiratif, les manches là, comment ça s'imbrique... Elle se met à me raconter, me montrer la doublure rose en satinette, me dit le col et les poignets. Elle avait une voix un peu rauque, le débit nerveux... Elle parlait! Je fais valoir les avantages : un beau manteau comme ça, chaud et tout, pour pas très cher finalement, parce que s'il avait fallu l'acheter...

— Tu as de la chance d'avoir une maman qui tricote aussi bien.

C'était pas tout à fait innocent mes remarques; je m'étais renseigné sur les fiches, je savais qu'elle était l'aînée de douze enfants, père ouvrier, mère SP. Je sentais assez bien l'atmosphère, j'ai dans ma famille des équivalents. J'imaginais les discussions : que le tricot elle avait pas dû être d'accord, tout à fait contre même au départ; elle aurait préféré un pardessus de chez le marchand comme les copines au lieu de se singulariser avec cette défroque de pauvresse... Qu'on allait encore se foutre de sa tronche à l'école... Elle avait dû essayer de dissuader sa mère de cette solution qui sentait la pénurie. Il y avait eu des engueulades, peut-être des tartes, qui sait! — Mon admiration renversait la vapeur quelque part; d'autres gamines s'étaient regroupées.

— Il est rudement beau son manteau m'sieur, hou là là!

Il faut dire qu'elle avait de la veine, la mode commençait juste à poindre pour le tricot; il y avait déjà eu des photos dans *Elle*. Dans quelques mois elle allait se trouver sapée!

Le résultat c'est que le lendemain en classe elle a répondu à mes questions. J'avais brisé l'isolement. Je me suis arrangé pour que ce soit facile et que je puisse la complimenter un peu. Pas trop, juste pour marquer le coup, l'amorce, d'un air naturel... Lui faire sentir qu'elle était aussi intéressante qu'une autre, que celles qui avaient la langue bien pendue, des blazers, des souvenirs de vacances en Espagne, des airs de poupées. Elle s'est mise à bosser dans la semaine. Encore quelque temps et elle levait le doigt toute seule. Au bout d'un mois elle avait presque changé de visage, elle n'avait plus ce teint grisâtre souffreteux aigri. Elle avait donné un coup à sa coiffure, elle avait une ou deux copines, elle en était presque jolie.

C'est dur cette pédagogie remonte-pente, au charme et au doigté. Les seuls profs heureux sont ceux qui croient qu'il y a les bons et les méchants élèves. Ils peuvent sourire aux bons et engueuler les autres. Le coup du manteau ça n'était pas simplement que la gamine avait été heureuse que je m'intéresse à elle, touchée de ma sympathie, mise en confiance et tout le fourbi. A mon sens c'était beaucoup plus important. J'avais déjà tenté à plusieurs reprises d'engager le dialogue, avant le cours, après, aimablement. Chaque fois elle baissait la tête, faisait la moue, hochait, déniait, ne démarrait miette. Là, avec le tricot, j'avais touché par hasard un point essentiel. Je me plaçais dans un registre totalement différent.

Le langage n'a pas la même valeur partout. Dans certains cas il sert simplement à échanger des idées abstraites : « Le carré de l'hypothénuse est égal à la somme des carrés des deux autres côtés du triangle. » Bon, c'est utile à savoir mais ça n'est qu'un renseignement. « Laisse-moi passer la main sous ta jupe. » Se place déjà sur un autre plan. Ce n'est plus l'idée qui importe mais les remous que provoque le message chez l'individu, émetteur et récepteur ensemble, à un niveau épidermique comme dans la profondeur de l'inconscient. Ce sont des cas limites, pourtant le langage est différemment chargé selon qu'il s'adresse à l'intellect ou qu'il évolue dans le domaine affectif. Les mots : papa, père, géniteur, procréateur ou daron sont loin d'être porteurs d'une charge affective équivalente. Procréateur est un mot-idée, papa un mot émotionnel. Certains cas de bilinguisme permettent de saisir la nuance à chaud. Paquita m'expliquait. Fille d'émigrés, née en France, elle parlait exclusivement espagnol à la maison et français dans la rue et à l'école. Je voulais savoir comment ça se passait pour elle au début, la manière dont elle ressentait les mots. Après tout c'est la même flûte de pain que l'on transporte sous le bras et dont on se fait des tartines. *Le pain*, pour elle, ça a été longtemps ce que l'on achète chez le boulanger, qui a un prix, qui circule à l'extérieur de la maison; à la fois un concept et une image. *El pan* c'était ce qui est sur la table, ce que vous tend la mère, que l'on mâche, que l'on avale, qui a du goût. Il ne s'agit pas d'une simple différence de connotation, mais d'un changement de référence : *pan* est un mot sensuel, *pain* un terme d'échange — sans doute un peu la différence qui peut exister entre « lolo » et « aliment lacté ».

Naturellement tous les degrés existent entre ces deux extrêmes, mais en général plus le vocabulaire d'un individu est riche, étendu, plus son discours est abstrait, et moins son langage est accroché à son affectivité — avec toutes les réserves que l'on peut formuler dans ce domaine. Au contraire plus le vocabulaire est restreint, les ressources du langage limitées aux notions essentielles, plus les mots sont « chargés » émotionnellement. A la limite le petit enfant qui ne connaît que quelques mots les répète plusieurs fois de suite. Il les projette comme des balles, et en cas d'urgence ils lui tiennent lieu de véritable discours : « Peur, peur, peur ! — Bobo, bobo, bobo !... » C'est tout l'être qui est engagé dans le mot. On plaisante périodiquement chez nous les anciennes séries de mon plus jeune fils ; entomologiste précoce, à deux ans il adorait les papillons. Ça donnait : « Un pipillon, un pipillon ! Un pipillon maman, un pipillon, un pipillon, un pipillon »... Ça pouvait durer longtemps, et ça voulait dire exactement : « Tiens, voici justement un intéressant lépidoptère ! Observe-le vite, ma mère, avant qu'il ne s'échappe... etc. etc. » Mais à un degré affectif tout à fait différent ! — Les papillons lui sont d'ailleurs tellement restés chevillés à l'âme qu'à douze ans il en a fait une collection superbe. C'est un détail.

A mesure que l'enfant grandit, il enrichit son vocabulaire et la charge affective se répartit, si j'ose dire. Je crois qu'elle tend à s'alléger si son équilibre psychique se développe dans de bonnes conditions, et sa faculté d'abstraction s'en trouve favorisée en même temps. Elle demeure lourde au contraire si l'enfant manifeste quelque retard dans le domaine affectif ; si pour une myriade de raisons obscures (que le mode de vie actuel des familles lui fournit à la pelle) le gosse est exagérément attaché à son « lolo », parce que ce liquide agréable le rassure, il reste passionnément accroché à ce mot qui lui « vaut une province et beaucoup davantage ». Il va longtemps refuser le « lait », moins chaud, moins sucré, moins maternel. Il a toutes les chances de ne jamais accéder à « l'aliment lacté ».

En tout état de cause la charge affective du langage est encore grande à cinq-six ans, et par parenthèse je me demande dans quelle mesure le formidable processus d'abstraction que représente l'apprentissage de la lecture, lequel consiste à couper le mot vivant, à l'arracher de soi pour le placer sur le tableau, sur la feuille, n'est pas une source de problèmes supplémentaires pour les enfants légèrement perturbés, cause de refus inconscient, de dyslexie, même chez les sujets dits « intelligents ». Le mot présenté globalement est, si j'ose dire, coupé tout chaud, avec son contenu, son cher référent. Cela donne un attrait passionnant à l'opération mais est peut-être vécu aussi comme une menace. Après tout pour un enfant de cinq ans il n'existe *véritablement* qu'un lit : le sien; qu'une soupe, qu'un jardin... Les anciennes méthodes synthétiques, avec leurs fastidieuses litanies de lettres et de syllabes, palliaient peut-être le danger en noyant lamentablement le poisson. Le temps que le bambin ait psalmodié : B, A — BA, P, A — PA, il s'est préparé à accepter PAPA avec un minimum d'effroi; ces étapes insensibles ne peuvent que diminuer sa crainte fantasmatique de l'orphelinat. Les chants des vieux abécédaires étaient-ils après tout rassurants[1]?

Rassurant comme lorsque c'est la mère elle-même qui procède à l'initiation à la lecture. Yvette, institutrice en maternelle, me fait remarquer qu'en dépit de tout ce qu'on peut dire sur la non-technicité des

1. La charge affective du langage se mesure précisément avec davantage d'acuité dans une langue de transmission purement orale, où le mot « colle » à celui qui l'emploie, ainsi qu'à un groupe quelquefois très restreint.

mères de famille en matière de pédagogie, les choses semblent se passer généralement bien quand c'est « maman » qui fait la leçon. La lecture à la maison que certaines maîtresses recommandent pour les petits débutants ne peut qu'avoir une faible valeur d'entraînement, le soir, sur un enfant fatigué que dirige une mère fourbue. Le rôle de cette « répétition » est sans doute purement psychologique : le mot-graphisme étant de la sorte avalidé par la mère, le « lit » risque moins de se dérober sous soi. C'est peut-être là aussi la clef de la réussite toujours spectaculaire des enfants d'instituteurs dans les petites classes, qui fait l'orgueil de leurs parents et la jalousie des parents des autres. On les croit favorisés parce qu'ils sont « aidés ». C'est rarement le cas, une mère enseignante ne fait même pas lire le gamin le soir à la maison, elle a d'autres chats à fouetter. Mais si l'enfant est dans sa classe, à la campagne par exemple, son langage affectif coïncide idéalement avec le langage tout court. Il prend ainsi une avance naturelle, précieuse pour les premières années de sa scolarité, et peut-être pour toujours.

Une de mes amies a appris à lire comme ça, d'une façon drôlette. Elle avait un grand-père gentil, vieux monsieur patient et de haute sagesse, à trois ans elle vivait sur ses genoux. Ils feuilletaient ensemble le *Grand Larousse* du XXe siècle — ça occupe bien, avec les images. Marie-Françoise se faisait commenter les gravures. Et là? Qu'est-ce que c'est?... C'était toujours quelque chose de bien dans la bouche du patriarche, il expliquait, lui disait les noms — elle repérait la forme des mots... L'alphabet, elle l'a appris dans le potage, celui aux lettres découpées. C'était simplement une méthode pour la faire manger. On cherche un A... Voilà! Un B!... Tu veux un F ma chérie?... On cherchait ensemble, en écartant du bout de la cuillère... Ça mettait longtemps, la grand-mère se lamentait, que la soupe allait être froide, que c'était pas des façons... Le grand-père lui faisait des reproches, qu'elle n'avait mis aucun G dans son bouillon!... On avalait deux H à la place, c'était un enchantement!

Elle a appris à lire dans la soupe, toutes méthodes confondues, un dictionnaire et de gros livres de contes imprimés petit, cela avec un grand-père instruit, et rassurant, et adorable, qui n'avait pas la moindre notion de pédagogie... Elle a lu beaucoup, de vrais livres. Elle a tout compris. Il lui est venu de l'abstraction. Elle avait tellement d'avance qu'elle aurait pu entrer en sixième à huit ans, elle avait réussi l'examen! Il lui a fallu attendre, piétiner un peu pour que les choses paraissent plus raisonnables... A vingt et un ans elle préparait l'agrégation.

A cet égard les enfants des « milieux défavorisés » le sont doublement, car justement dans une famille peu instruite, où le vocabulaire est plus restreint que chez les intellectuels, la charge affective du langage est incomparablement plus grande. Un père qui rentre du bureau, harassé et souhaitant le calme, et qui tombe sur le chahut des enfants en vacances, impose son autorité par une présence verbale explicative : « Vous faites un vacarme épouvantable! Je vous assure que c'est exaspérant! Vous allez me faire le plaisir de déguerpir en vitesse, sinon je vais sévir! » ...Il s'agit d'un père irrité qu'il vaut mieux ne pas contrarier, mais qui s'exprime, qui transpose ses menaces : « sévir » ne présente pas un danger immédiat — il annonce des transactions préalables. Il y a une marge entre le mot et, par exemple, la gifle. Un père coffreur en béton qui rentre du chantier dans des circonstances analogues donne un grand coup de poing sur la table et crie : « Nom de dieu! C'est pas un peu fini ce boucan! » — Là il y a intérêt à ne pas faire le mariol : si le premier exprime sa violence dans le discours, le second pourrait avoir recours à la violence physique. En d'autres termes il vous filerait bel et bien une beigne sur le coin de la figure. Et tout de suite encore!... D'ailleurs même si le silence se rétablit instantanément, il n'est pas dit que le premier qui passe à sa portée n'écope pas d'un méchant revers de représaille... On ne sera tranquille que dehors. C'est la différence entre un langage explicite et un coup de gueule.

Ça peut être aussi un coup de larme, une montagne fabriquée de bouts de bois, un cri de joie... On crie beaucoup en milieu populaire, je le dis comme je le sais, l'émotion affleure, elle déborde pour un rien. Elle s'écoule en paroles quelquefois désordonnées. Le timbre est toujours haut, l'émission légèrement saccadée, la glotte vibre, les mots se colorent comme des bulles, traînent un peu... On répète les phrases plusieurs fois, faute d'en avoir une large palette, on insiste, on pèse, on module, on les tinte différemment : « On a pas fini de rigoler!... Non, on a pas fini... On a pas fini de rigoler c'est moi qui vous le dis! »... Les paroles portent la marque de leur intonation, elles s'inscrivent ainsi dans la mémoire, le sens avec la couleur; elles ont presque le geste à l'appui [1]... Elles sont donc moins interchangeables, et moins aptes à servir un discours abstrait par conséquent.

Quand mon père est devenu vieux, ma mère lui criait toujours à tue-tête : « Jaaa...qué! Jaaa...qué! »... Il était pas sourd. Simplement ça faisait cinquante ans qu'elle l'appelait. Pour le bois, l'eau, les légumes... Il faisait semblant de pas entendre. Mon fils aîné avait trois ans, quand on lui demandait : « Comment il s'appelle ton pépé? » il prenait une grande respiration et hurlait consciencieusement : « Jaaa...qué! » C'était le seul état civil qu'il lui connaisse. Ça venait comme une sorte de chant le nom du grand-père, un début de comptine...

Pour un enfant de prolétaire l'apprentissage du langage intellectuel constitue un pas important à franchir. Il n'y a pas que la vision qui doit changer. Ce langage non affectif, cultivé, à la musicalité plus « distinguée » que la sienne, tend à le couper de son milieu familial. Toute une série de forces inconscientes s'opposent violemment à cette séparation, le retiennent. En fait il s'agit de dépasser le père, de le rejeter, avec la mère, en un mot, dans la symbolique freudienne, de le tuer. Même s'il n'est pas perçu en tant que tel, c'est un rude moment intérieur, souvent autour de la puberté. C'est quelquefois dur à crever un père tra-

1. La gestuelle qui ponctue ou souligne le discours, et parfois supplée à la parole, est du reste infiniment plus abondante qu'en milieu « éduqué » : moues diverses, clins d'œil, froncements de sourcils, haussements d'épaules, et bien sûr les mains jointes, tordues et secouées dans tous les sens — sans parler du bras d'honneur!

vailleur manuel. « La rigidité particulière des tissus », vous savez... Et puis on s'y attache. C'est dur de passer de l'autre bord, de mépriser. En plus de la combine œdipienne commune à tous, il faut renier toute une façon d'être, de sentir, une façon de rire et de pleurer. Certains ont de la peine, ils réussissent moins bien leur assassinat. Ça fait des cancres.

Au fond Maud n'avait pas tellement tort de s'inquiéter de mes façons chafouines, ma nonchalance du gosier. Mon aménité ne faisait qu'accentuer le décalage avec sa famille. Les gars prenaient la chose encore plus de travers; Paul, un gaillard qui me dépassait de la tête, qui mettait un chahut immonde, il était contre toute indulgence :

— Vous êtes pas assez sévère, m'sieur... Moi, mon père c'est un ancien boxeur, voyez... Y gueule pas, y cogne. Quand j'fais une connerie, c'est pan dans la gueule direct, pis c'est réglé. Comprenez?...

Il me regardait d'un œil navré, que je faisais pas le poids du tout à côté de ce père fantastique qu'il n'aurait certainement pas fourgué pour toutes les abstractions du monde.

— C'est un mec mon pater! Il en a dans le coffre!

C'est à ce prodigieux géniteur qu'il voulait ressembler, pas à moi, c'était bien clair. N'empêche que j'ai failli retrouver mes instincts avec lui, un jour de mauvaise grâce, totalement excédé. Mon poing partait tout seul, mais c'est une autre histoire... Y a pas encore prescription.

Que la manœuvre de dépassement soit réussie ou non, pour quelqu'un qui fait des études, il reste tout de même une sérieuse dualité entre le parler familial et celui de l'école, du lycée, de l'université. En ce qui concerne cette dernière, étant donné la très faible proportion d'enfants des « classes laborieuses » qui atterrissent en Fac, le problème demeure il est vrai assez marginal. A part les exceptions, la masse va jusqu'en troisième, ceux qui traînent le moins sont triés vers une seconde. Ils tireront, cahin-caha, un Bac du bout de l'alphabet : « En maths ça allait, mais il était pas assez fort en français, ils l'ont mis en G. »

Même pour les exceptions la vie n'est pas toujours montée sur roulettes. Mon copain Pinardel, prof de lettres, latin grec, a toujours vécu le double langage avec hésitation. Fils d'un ouvrier de chez Michelin il a cheminé dans les écoles comme on avance sur des œufs. Peu doué « en rédaction » au départ, il avoue, fait intéressant, avoir pénétré dans le maniement de la langue française par le truchement du latin. C'est assez remarquable parce qu'en effet la gymnastique de la version latine lui a permis d'instinct de jongler avec la langue d'une façon abstraite, d'étaler les concepts devant lui sans se commettre profondément au début, sans faire intervenir son langage profond qui demeurait sur un autre plan. Au fond il a appris le français comme l'algèbre.

Mais il arrive un moment où il faut bien se commettre, s'intégrer. Enfant unique, exagérément attaché au schéma paternel-maternel, le jeune Roger Pinardel a vécu ses études en état de conflit permanent — chose dont il n'avait pas conscience à l'époque mais qui se traduisait par un comportement singulier. Il était d'une agressivité au premier abord injustifiée à l'égard des profs et de l'entourage. Il se démarquait dans la présentation, allait en fac à vélo — comme son père à l'usine — portait le béret! Il n'avait aucun copain parmi les autres étudiants. Il évitait les bistrots de Clermont, le cours fini, il enfourchait sa bécane et repartait à Monferrant vers l'appartement familial. Ses sorties, il les faisait avec ses camarades prolos, jouait aux boules avec eux, à la belote... Il a toujours transporté cette dualité de classe dans son attitude d'homme. Grand lecteur, capable de forte analyse, d'expliquer doctement bien des points avec une voix solidement timbrée, il affiche par ailleurs une hésitation permanente, se rencogne dans une naïveté à la fois vraie et de parade, fait semblant de ne pas savoir, tergiverse d'une voix à l'accent mêlé, affectionne les blagues douteuses, les bons mots d'une certaine épaisseur, et généralement doute réellement de lui-même comme personne. Il fonctionne sur un double registre, comme un accordéon : un coup pour le classique, un coup pour le musette!

Soyez vous-même, disent les gens! Ils me font rire eux autres, bien installés dans leurs savates : vous-même Qui, de temps en temps? ... Roger avait un père sympathique, à l'accent de Laguenne, fier qu'il soit à l'université, avec lequel il voulait rester proche justement... Ça n'aide pas à foncer dans les joyeusetés du Grand Siècle, de rester ainsi le cul entre deux émotions. Ça use. Il faut une belle dose d'aptitude pour insister, obtenir quand même ses diplômes... Il faisait aussi du grec heureusement.

Mieux vaudrait être carrément étranger, qu'il n'y ait pas de ces interférences. Paquita n'a rien eu à renier. Elle a fait des études. Elle est devenue prof. Elle était douée... Nous avons parlé de ces problèmes de coupure. Comme elle avait subi l'humiliation des enfants pauvres, le regard sur les fringues, avec en plus le sentiment particulier que donne la situation d'émigré du sud, j'essayais de savoir son avis. Elle ne comprenait pas très bien cette histoire de confrontation école-milieu familial ouvrier. Elle est pourtant rudement sensible, et fine dans le jugement. Elle avait éprouvé bien des choses, l'envie d'en sortir, le désir d'accéder à un rang social — mais là, elle ne voyait pas cette histoire de rejet ou de dilemme. Elle a fini par se rebiffer :

— Je vois pourquoi je ne te comprends pas! C'est que chez moi mes parents parlaient beaucoup au contraire. Mon père adorait discuter, ma mère aussi... Les discussions sérieuses, je les ai eues davantage à la maison qu'à l'école.

Elle craignait que je me fasse une fausse idée d'une famille d'émigrés... Qu'ils n'étaient pas du tout des abrutis. Ouvriers peut-être, avec des fins de mois difficiles sans doute, mais joliment diserts, et profonds, et instructifs...

— A table, nous, on refaisait le monde!...

Elle n'était pas du tout d'accord Paquita, que chez elle tout était d'un très haut niveau de pensée... J'avais du toupet, moi, avec mes suppositions! J'avais l'air de commettre une bévue, de cracher comme ça, sur son lignage! J'étais confus...

Or, ses parents je les connais un peu. Son père est un homme passionnant qui a passé la frontière en 36 avec la Phalange à ses trousses. Ce ne sont certes pas les plus nigauds qui on dû fuir après s'être battus contre Franco. Mais là n'est pas la question. Le père de Pinardel non plus n'était pas un imbécile, et fort causant, et bien-disant des choses de la République. Mon père aussi refaisait le monde. Il faisait pratiquement que ça. — Il n'a pas réussi d'ailleurs... La différence c'est que le père de Paquita refaisait le monde en espagnol pour sa fille, qu'il n'y a jamais eu entre son discours et le langage de l'école le moindre frottement. Ce n'était pas les mêmes mots. Il n'y avait aucun choix à faire, *el pan* rimait quelque part avec *Guernica* et elle a pu garder intact, protégé dans un langage affectif véhément, son héros de la guerre civile. Elle n'a pas eu à le confronter avec Gide, avec Proust, avec Mauriac, avec Flaubert ou Maupassant... Avec les profs d'abord, au tournant de l'âge où il vient des rondeurs aux filles. Son langage intellectuel à elle s'est formé indépendamment, en français, et a pu coexister sans heurt avec celui de sa mère, qui est philosophe aussi, douée d'agréable sagesse.

En d'autres termes ni la petite fille ni l'étudiante n'ont vécu le langage scolaire comme une menace, et l'une et l'autre ont toujours eu par exemple une orthographe exemplaire. Je dirai en passant que cette question controversée de la graphie de la langue française qui resurgit périodiquement devant le « désastre orthographique » des Français comme une poussée de furoncles, me paraît tout à fait mal posée. Je suis convaincu, et toutes les expériences modestes que j'ai pu faire à cet égard me l'ont confirmé, que la mauvaise orthographe témoigne chez l'enfant d'un refus inconscient, d'une révolte ou d'une peur du graphisme, et non comme on le répète de la difficulté intrinsèque de l'orthographe française, quelle que soit sa fantaisie. D'ailleurs si l'on ne retient que la difficulté d'agencement des lettres, les enfants actuels qui entre autres choses sont plus « visuels » que ceux d'autrefois, devraient théoriquement jouir d'une mémoire orthographique bien supérieure.

Je suis moi-même un bel exemple de disorthographie et je sais où le bât me blesse. Depuis mon enfance j'ai toujours été incapable de me souvenir des doubles t, doubles m, et consorts, sans parler des an et des en et des finales capricieuses. Mon orthographe varie d'un jour à l'autre, je suis parfois incapable de choisir entre *instent* et *instant*, *essentiel* et *essenciel* — j'ai pourtant vérifié des dizaines de fois! Rien n'y fait. Or, dans le même temps, je suis imbattable en orthographe anglaise, meilleur que bien des Britanniques instruits, et pourtant dieu sait si la graphie anglaise est une véritable plaisanterie! Elle donne du fil à retordre outre-Manche, dix fois plus que la nôtre : c'est chaque mot qu'il faut retenir un à un! Je sais pertinemment qu'il s'agit chez moi d'un problème d'ordre purement psychologique, qui a failli me coûter cher tout au long de ma scolarité, mais dont j'ai fini par me moquer.

On confond deux notions distinctes : l'importance exagérée donnée en France à l'orthographe par la bourgeoisie qui en a fait un élément de discrimination sociale, ce qui est un problème politique, et d'autre part les problèmes d'apprentissage proprement dit, lesquels relèvent avant tout de la psycholinguistique. Je citerai le témoignage d'un instituteur dans un débat sur la lancinante réforme de l'orthographe :

> « Il y a un certain mystère dans l'apprentissage de l'orthographe. Certains élèves l'acquièrent très vite, on ne sait pas pourquoi. J'ai dans ma classe une petite Espagnole qui parle le français depuis peu de temps et qui ne fait pas de fautes. [*Tiens, tiens! Pas de racines affectives dans la langue non plus!*] Il est vrai qu'elle est très méticuleuse, très précise dans le graphisme. Les élèves maladroits, qui ont du mal à écrire [*D'où cela leur vient-il?*], ont plus de difficultés avec l'orthographe [1]. »

Je ferai remarquer que ce n'est pas parce qu'on écrira photographie, *fotografi*, que cela empêchera « les élèves maladroits » d'écrire *fotogarfi* ou *fotorgafi* ou autre chose s'il en plaît à leur maladresse! Oh, certes, ne serait-ce que pour mon usage personnel, je verrais d'un très bon œil que l'on épouillât sérieusement les plus outrageantes subtilités, et cela m'arrangerait bien surtout qu'on ne fasse plus un tel ramdam autour des « fautes » quand j'écris, mais la réforme radicale de l'orthographe constitue à mon avis un de ces faux problèmes dont on amuse l'attention du pauvre monde,

1. *Le Monde de l'éducation*, janvier 1976.

et qui font se mobiliser le corps enseignant dans une bataille à côté de la plaque. Cela me paraît aussi révolutionnaire que le calendrier de 1793 : pluviôse, ventôse, on change le nom des mois... On évite ainsi de poser les questions de fond.

Pour en revenir au manteau de la gamine, j'avais ce jour-là établi un contact linguistique assez simple. Le tricot avait fait l'objet de discussions en famille, il cristallisait peut-être l'attention depuis plusieurs jours. En l'acceptant, j'entrais dans le domaine affectif, je parlais à la fille sur le registre familial et non sur le registre scolaire. D'instinct j'avais pris un ton adéquat, une diction plus lâche, sans harmoniques magistrales aucune — je réadoptais une phonologie prolétarienne. Elle *pouvait* donc me répondre sur ce terrain : ça lui déliait la langue, au sens propre.

Elle avait une voix nerveuse, un peu sèche, qui contrastait avec son allure endormie habituelle. Je suis sûr qu'elle était bavarde chez elle — elle avait l'intonation petite-bonne-femme, la décision tout à coup étonnante en quelques phrases des gens qui parlent volontiers, le timbre pas du tout scolaire... Elle me parlait la langue de la maison.

Les profs me font marrer quand ils s'étonnent qu'un gosse puisse avoir un comportement totalement différent à l'école et à la maison. Les parents aussi d'ailleurs. On assiste quelquefois à des dialogues de sourds quand ils rendent visite. Le prof et eux ne parlent pas du tout du même gamin... J'ai entendu une fois une mère s'inquiéter, bien préciser : « Vous savez il est brun, frisé... — Oui, oui. » Elle n'arrivait pas à croire qu'on lui parlait du sien! — Combien j'en ai vu des petits garçons taciturnes, qui traînent à longueur de cours, de semaines, d'années scolaires, sans presque desserrer les dents! Et puis on les surprend, un soir, du côté du garage à vélos, ou bien dehors, dans un groupe, près du portail. Le gosse est en discussion animée avec les copains. Il a la voix rapide, le geste sec, un vrai harangueur... Il ne vous a pas vu venir. Tout à coup il vous voit : ça s'arrête net dans sa gorge. Il rougit, sourit, gêné... Les autres rigolent. Ils savent, eux, qu'il parle autant qu'un autre. Et ça n'est pas parce que vous n'êtes pas gentil, parce que vous lui faites peur personnellement. C'est autre chose — qu'il ignore d'ailleurs — : c'est qu'il vit mal sa dualité.

Non, ça n'est pas facile. Quand on regarde sa classe en pensant à tout ça, les bras vous en tombent.

Les miens me sont tombés.

L'action continue empêche la réflexion. Il faut prendre du recul, s'arrêter, voir, repartir — peut-être changer de direction. Un navire pris dans une telle fièvre active que personne n'aurait le temps d'y faire le point, il serait beau! Il n'irait pas loin le vaisseau. Le premier récif, le plus voisin promontoire serait pour lui, bille en tête...

C'est peut-être ça la révolution : tout arrêter pour réfléchir cinq minutes, se situer avec précision, faire le point... Boussole et carte et sextan. Se repérer par rapport aux phares avant de partir carrément dans une autre direction. — Mais voilà sans doute où le bât nous blesse : notre société, où elle veut aller?... Vous le savez, vous?...

Oh d'accord, pour soi, personnellement, pour moi, ça durera bien jusqu'au cimetière. Il y a toujours, certes, un petit trou quelque part qui attend — plus tôt qu'on croit! Infarctus, hop! la sortie, pieds devant!... C'est juste. Mais les autres? Les fils, un peu moins près de la tombe? Leurs enfants à eux, ceux à naître?... Vous

vous en foutez c'est certain. Ou bien vous vous dites : quelqu'un doit bien réfléchir pour nous quelque part! Y a des gros bonnets qui rêvent et qui prévoient.

Oh c'est dangereux ça! Laisser la réflexion à des spécialistes. Et si ceux qui réfléchissent pour nous, des fois, étaient complètement tarés? Hein?... Ça peut arriver! Ça c'est déjà vu. Souvent. Tenez, prenez la pollution. Un monsieur, à la télévision, fort pertinent je trouve, disait à peu près ceci — c'était à propos des boues rouges en Méditerranée — : « On a du mal à comprendre que des gens aussi savants, aussi capables, tous ces chercheurs qui savent tout sur les acides, sur les dangers, qui ont fait tant d'études et peuvent inventer tant de belles choses plastiques, n'aient pas été capables de se rendre compte que de jeter leurs déchets dans la mer ça allait faire sale. Enfin! Ce que le premier couillon venu aurait pu prédire, ces techniciens superbement intelligents et tout, et au courant des choses de la chimie, n'ont pas été foutus d'en avoir le moindre pressentiment? ... Faut pas pousser, disait trivialement le monsieur! De qui se moque-t-on? ... »

— Eh bien de nous, pardi! On nous dit : vous faites pas de bile! Les boues? les coffres radioactifs en béton qui craqueront sûrement d'un jour à l'autre? ... Turlutaines! Les techniciens sont là, les savants sont là, on pense pour vous!

— Tiens, vraiment?

— Oui, oui! Aucune crainte! Travaillez, prenez de la peine, l'action, l'action! La réflexion? Nous avons tous les spécialistes.

— Et si les spécialistes sont cons?

— Comment osez-vous! ... Allons, des gens aussi capables! ...

— La preuve! Ils font crever tous les poissons, infectent les rivages, mettent l'humanité en péril et eux avec! Vous parlez de rusés personnages!

D'ailleurs ce n'est même pas exact que les spécialistes en question soient des imbéciles. C'est plus compliqué, largement plus subtil. Dans le cas précis il doit bien y avoir au moins un savant chercheur qui a dit à son pote en blouse blanche : Tu sais, ce qu'on fait là, c'est rudement dégueulasse. C'est même très dangereux, qu'il lui a dit en italien, on va tout faire crever! Et l'autre d'acquiescer du menton.

Et puis après? Le type a ses gosses, sa voiture à payer, sa femme qui veut aller aux sports d'hiver. Les vacances qui vont venir... Vous le voyez se pointer dans le bureau du patron, moquette, acajou, grosses lunettes, après rendez-vous spécial, pour dire :

— Pardon Monseigneur, mais les déchets dans la mer c'est très dangereux, non? ...

Vous imaginez le bosse, pédégé assis, humant l'air, regardant fixe l'employé ingénieur?

— C'est vos oignons, vous, la Méditerranée? ...

— Non, mais...

— Alors? ... Mon cher... Rappelez-moi votre nom? ...

Et l'ingénieur scrupuleux qui sent sa prime annuelle foutre le camp, les vacances de sa femme... Ses traites pour la villa au bord du lac!

Non, jamais un savant sérieux ne fera une pareille démarche. La ferait-il que ça n'empêcherait pas le patron d'annoncer à la télévision, aux journaux, hautement : « Rien à craindre! J'ai dans mon personnel une équipe de spécialistes très au courant de la question, ils ont tout étudié. Ils pensent pour vous, dormez! »

Il devient de plus en plus dan gereux de faire confiance. On achète tout. En demandant toujours plus d'argent les enseignants se vendent comme les autres. Oh pas très cher, ça d'accord! C'est même franchement du rabais pour certains, surtout si l'on considère qu'un prof d'anglais doit gagner obligatoirement davantage qu'un instituteur qui fait un travail aussi fin et en définitive bien plus important. Tout de même, on accorde les augmentations, bon an mal an. C'est plus facile. Ça nous calme. Ça nous cloue le bec. Ça nous divise... L'argent c'est dangereux. Ça empêche de faire le point.

Supposez que l'on propose à un jeune couple de lui acheter son bébé cinq millions anciens. Il va se trouver insulté. Dix millions de même. Quelle horreur! Une maman ne vend pas son bébé! ... Mais si on vous en propose deux cents millions du chérubin, là, payés cash, en liquide? — Ah! ... Vous vous rendez compte! Tout ce qu'on peut faire avec deux cents briques? L'appartement ... le ... la... Il existe des vieux milliardaires de mélo qui se mettent dans la tête de se payer pour leur lignage un bébé en excellent état. A trois cents millions le couple offensé commence à trouver que dans l'intérêt même du bébé, n'est-ce pas... C'est surtout ça! L'intérêt de l'enfant lui-même d'aller dans une famille si riche... Les chances dans la vie... A-t-on réellement le droit de lui refuser ça, à lui, ce petit être? ... Et puis les autres mômes qu'on a, ses petits frères au bébé...

Tout cet argent qui transforme la vie... Les études qu'ils pourraient faire... On se fait un peu tirer l'oreille... On fait monter encore un peu... Et puis que voulez-vous, à cinq cents millions on vend! — Remords, bons sentiments... Mais on fourgue! Eh dites, tout de même, bébé ou pas, fruit de mes entrailles ou non, on va pas laisser passer ça!

7

A working class hero

Y a des jours, on n'est pas en forme. A cause de ceci, de cela... Mille choses... Pour aucune raison précise. On se réveille de mauvais poil. On n'a envie de voir personne, de parler à personne. Des jours où l'on pense à sa vie, fatalement, qui passe. On voit pas bien à quoi elle sert. Des moments où l'on est vraiment lucide sur la vanité de tout ça. Déprimé? ... Pas forcément. Simplement on sent le temps passer. Ce sont les jours où l'on prend un coup de vieux. Je ne crois pas que l'on vieillisse régulièrement, de façon égale, mais par petits à-coups. On reste huit jours sans vieillir d'une heure, on rajeunit même quelquefois, puis en une nuit on prend un mois. Dans les tissus comme dans la tête. Ça ne se voit pas. C'est comme ça, des petits bonds furtifs vers la tombe...

Bref, y a des matins où ça ne va pas fort. C'est le jour où un paysan décide d'aller dans les bois, si c'est la saison propice, fendre une bille ou deux. Il se défoule à coups de hache, après ça va mieux... Le jour où un tourneur dit à peine bonjour aux copains, où il se penche sur sa machine, les dents serrées. Le jour où la dame du guichet fait ses comptes sans aucune risette, où le gendarme voit des voleurs partout, où la vendeuse fout les clients à la porte... Ces matins-là, d'aller en cours, d'affronter les premières classes, de devoir amuser, en pédagogie pétulante, trente ou trente-cinq petits bavards, ça devient le clou. Faire le zigue quand on n'a pas envie de parler, qu'on voudrait être tout seul dans un bois... C'est du déchirant trapèze psychologique.

Il faut dire que j'ai de plus en plus de mal à mettre les pieds au collège. Ma poitrine se serre à mesure que je me rapproche, au détour des rues. Depuis le creux de l'estomac ça remonte jusque derrière la pomme d'Adam. Un spasme... J'ai envie de fuir, de changer de direction.

J'ai toujours été plus ou moins en retard mais à présent je bats des records. Je pars à la dernière minute, et même cinq minutes après tous les délais possibles. De quoi n'avoir plus que le temps de foncer, sans réfléchir, comme quelqu'un qui plonge, qui n'aime pas l'eau mais qui se jette afin de ne pas reculer... Forcément j'arrive à la traîne. Je rase les murs. Je m'invente des itinéraires pas possibles pour éviter l'œil de l'administration, les reproches — même ceux qui sont faits avec le sourire, les plus cruels. Un bon établissement pour moi est celui qui est construit de telle sorte que l'on peut couper par des tas de couloirs et d'arrière-escaliers pour aboutir aux classes sans être aperçu.

Je ne veux pas retrouver la cour, l'agitation de centaines de gosses qui viennent grossir la file devant l'entrée. Leurs silhouettes aux sacs trop lourds pendant au bout des bras. Les bicyclettes, les chassés-croisés vers le hall, le bourdonnement de leurs conversations hâtives du matin... L'angoisse remonte à cette idée, elle part du ventre, glisse sous le plexus, voyage... Je n'ai pas envie de me tenir près de la porte de la classe avec mes trente élèves qui défilent devant moi — un œil sur les derniers du rang dans le couloir qui se font des crocs-en-jambe, qui vont s'envoyer des baffes si je ne fronce pas le sourcil de cet œil-là, l'autre sur les premiers entrés qui font tomber les chaises, qui cognent leurs sacs sur la table, qui continuent avec acharnement un bavardage hâtif, intense, acharné... De les retrouver tous les trente et de me mettre à leur rythme à eux, sans les brusquer outre mesure sans quoi la leçon est foutue. D'inventer un petit quelque chose ce matin pour tirer leur attention vers moi. Tout allant forcé, tout sourire.

Une heure comme ça à sortir de ma peau, à m'enthousiasmer soudain pour une peccadille, un mot de travers à rectifier avec joie, avec bonheur glisser la notion nouvelle — Isn't it? ... Être drôle avec modération, emporter ma troupe vers l'union sacrée de l'amusement attentif, leur avoir fait passer toutes leurs préoccupations à eux pendant quelques précieuses minutes. Les avoir là, tendus, bien à soi, tous yeux rivés, tout sourire, et moi bondir d'un pied sur l'autre, le cirque à huit heures vingt-cinq, le bras levé, l'index raidi, interrogateur... Les trente têtes enfin passionnées par ma pantomime... Et pourquoi? — Pour bien faire remarquer que le petit garçon sur l'image est assis. — Isn't he? ... — Où est assis le petit garçon? (Je parle du cours d'anglais.) — Il est assis sur une chaise. Quelle merveille! — Et qu'est-ce qu'il fait le petit John en question, assis sur sa chaise? ... — Il lit. Ah la grande chose! — Il lit quoi? ... — Un livre! — Vous vous rendez compte! On a trouvé ça tous les trente et un ensemble! Le super-pied quoi!

J'ai pas envie d'entrer ce matin dans le cirque... Y a dix ans — c'est ça la différence —, y a dix ans je me passionnais à ce jeu-là, à établir ainsi le contact, la forêt des mains levées, la turbulence des sourires, des questions qui fusent... Please Sir! ... Vraiment je ne peux plus ainsi me transformer, amuser mon petit monde. Certains matins je préférerais couper du bois, je ne sais pas, charger un camion de boîtes de conserves et le conduire quelque part, à des centaines de kilomètres... C'est dur aussi — c'est pas pareil. Tout mais pas les trente petites ventouses qui vont m'obliger à danser devant elles, à être superman du charme sur commande.

J'ai pas envie d'être charmant jusqu'à midi, recommencer quatre fois d'heure en heure, d'avoir charmé cent trente gosses à midi, y compris les durs de Quatrième, ceux qui viennent de la cité hachélaime, Nicole dont le papa est rentré fin soûl hier soir et Patrick qui a dû écouter gueuler son grand frère... Et tout le monde; ceux qui rêvent de moto à 200 à l'heure et celles qui rêvent de violettes au coin d'une haie; ceux qui se touchent et ceux qui ne se touchent pas... Leur avoir fait le coup du prétérit et du présent parfait qui ne se mélangent pas... J'ai pas envie de retrouver cette fièvre, cette fausse ardeur, fausse personnalité, cet autre moi. Changer de peau à ce point c'est ça l'angoisse. J'ai envie d'être moi, de faire travailler mes muscles ou ma tête, mais d'être moi.

On me dira : qui vous oblige à danser de la sorte? J'ai eu des profs qui ne dansaient pas. Qui étaient même rudement sinistres, imposants à lunettes en chaire siégeant. — Ben oui. Moi aussi. Seulement voilà, le coup du « Asseyez-vous, ouvrez vos livres à la page tant, et pas un murmure! » je l'ai déjà dit, ça ne marche plus tellement... Certes le type s'émeuvait moins. Il collait un devoir d'entrée, les matins de méchante humeur. Il surveillait, toute l'heure. Il prenait un bouquin et oubliait la foule. Tout juste un coup d'œil circulaire et un « Tch, Tch, Tch... Hé vous là-bas! » de temps en temps.

Le plus drôle c'est que j'ai beaucoup lutté pour que cela change. J'ai été un des tout premiers utilisateurs du Richard et Hall en images, un propagandiste effréné. En attendant mieux : le cinéma complet. J'ai appris à jouer du magnétophone, j'ai secoué les apathies autrefois, milité pour l'examen oral... Il fallait que les enfants apprennent une langue vivante, pas des listes de mots sans suite. Le siècle avait changé. On était des modernes, on pestait contre les mémères qui rabâchaient leurs règles d'accord : for since ago. Nous on fonçait dans les structures, on s'en inventait, tout dans la langue parlée, les correspondances sur bandes, l'aisance du ton, l'inflexion... Je me suis creusé la citrouille des jours des nuits et des semaines. Pédagogue audio-visuel.

Si j'en ai charmé des élèves! Et des bons! Des brillants! Des causants comme des princes de Galles! J'ai poli des intonations montantes, descendantes, brossé des défectifs et calé des équivalents!... Qu'en reste-t-il! Sur plus de deux mille élèves j'en ai deux ou trois qui se servent de l'anglais dans leur vie, professionnelle ou non. Sur les rescapés de nos fêtes il n'y a toujours que moi... Si, une fille qui est devenue prof, je crois. Une autre qui est dans le secrétariat international... C'est à peu près tout en quinze ans. J'ai même pas une hôtesse de l'air, c'est vexant!... Y en avait pourtant des fillettes qui m'écoutaient rien que pour ça; qui faisaient de l'anglais un œil au ciel un œil sur moi, tendues vers de mirobolants voyages. Ça leur a donné mal à la tête, à force. Elles sont devenues infirmières, éducatrices, secrétaires, marchandes de quatre boutons... Les garçons ont des professions, comme ci, comme ça; ils ont tout oublié de nos bacchanales. Et si jamais ils avaient par hasard à parler anglais pour un job, ils feraient comme tout le monde : ils achèteraient la méthode Assimil, quelques disques, et voilà! En six mois ils en sauraient autant. Je me pose des questions des fois...

Je me pose des questions avant d'entrer dans la danse, sur la finalité de tout ça. Et si nos prédécesseurs tranquilles avaient réellement fait moins bien... Il ne faut pas. Les questions c'est mortel. Comme par exemple de se dire qu'une machine ferait le travail tout aussi bien que moi. Mieux. En moins de temps. Sans mouiller aucune chemise. Il existe des cabines impeccables pour ce genre de falbala, casques, bandes... Films par là-dessus.

On me dira : holà! Et le phénomène culturel? Et l'enrichissement intellectuel qui naît de la comparaison de deux langues vivantes, deux cultures?... — Baratin! On ne compare plus rien justement. On ne frotte plus les langues l'une à l'autre, on les sépare. Et qu'est-ce qu'ils savent réellement après toutes ces années d'effort, toutes exceptions déduites, dans leur immense majorité, en matière d'anglais, les jeunes? Ils ne sont même pas fichus de lire un journal, ni un roman policier, ni pratiquement rien. Ils savent, après toutes ces leçons éperdues, disons, à la rigueur, demander leur chemin dans un pays où ils ne mettent jamais les pieds. Demander, mais pas toujours comprendre la réponse! On les voit à Londres, les bandes touristiques, s'informer!

J'en ai rencontré un une fois, à onze heures du soir, hagard, harassé, qui errait depuis le début de l'après-midi, lâché par son groupe. Il avait parcouru une quinzaine de kilomètres à pied dans tous les sens, sa carte à la main, avant d'atterrir à Notting Hill Gate, continuant vers le nord sur une dernière indication vaseuse alors qu'il devait aller au sud. Il avait ameuté un groupe d'Hindous courtois autour d'un réverbère, et il gueulait : « Aïe ame hirre! Aïe ame hirre! » en cognant du doigt sur son plan. Les Hindous hochaient la tête, intéressés, polis, souriants... Il n'avait pourtant pas l'air taré quand je l'ai eu calmé, rassuré, qu'on a téléphoné à son hôtel ensemble. A part le fait qu'il m'a longuement secoué la main quand je l'ai mis dans un taxi, je lui ai rien trouvé de bizarre.

Il avait seize ans, était en seconde à Nantes. Il avait tout de même cinq ans d'anglais derrière lui — danses à l'appui! Ça en fait des heures de cours, des leçons à apprendre, des verbes irréguliers du dimanche soir inquiet. Des interros, des sketches, des exercices! L'oral du BEPC! — Cinq ans c'est long dans la vie d'un jeune garçon. Ça en représente des minutes d'angoisse... Tout ça pour aboutir au coin de Pembridge Road un soir d'été, ne sachant plus ni fer ni fût, ni yes ni no, au bord de la crise de nerfs, de larmes... Il était tellement fatigué que, lorsque je me suis approché, bonasse, après avoir observé son manège, il ne comprenait même plus le français :

— Alors mon gars, on est paumé?...

Il m'a regardé avec des yeux pâles, traqués. Il a encore articulé :

— I am here... (Je suis ici.)

Il a essayé de me montrer un point sur son plan qui commençait à se déchirer, collé contre le poteau du lampadaire.

— Mais oui, mais oui, tu la reverras ta mère!

Je rigolais, comme ça en connivence, pour dédramatiser. C'était un peu irréel comme scène, les Hindous hochaient du turban, ils m'approuvaient...

Si! les jeunes générations savent peut-être une chose : lire les affiches. Nous les avons familiarisés, perméabilisés à la pube américaine par voie d'étiquettes en franglais. Woolit, Kickers, Sunshine... la CIA qui organise en sous-main et en haut lieu nos programmes nous les a fait apprivoiser aux réclames d'hydrocarbures. Nous avons travaillé pour les rois multinationaux!

Et puis on a particulièrement bonne mine en France à parler de phénomène culturel quand on a brimé, massacré des sources de comparaisons linguistiques autrement plus fertiles et formatrices de l'esprit — parce que plus profondes et immédiatement accessibles si elles sont moins littéraires — entre l'occitan et l'idiome national, le basque, le catalan, le breton, langue extraordinaire, vieille de plus de deux mille ans, qu'on a interdite au même titre que de cracher par terre! Ils en auraient eu les petits Français des richesses à découvrir avec le flamand, le picard, le normand, le berrichon, le champenois — pour ne rien dire des Corses naturellement! Y a que les Parisiens qui sauraient pas quoi faire... Ils apprendraient le verlan!... Mais peut-être alors y aurait-il moins de Parisiens à cette heure.

Oh ce n'est pas moi qui nierai l'intérêt des langues étrangères, elles m'ont trop appris. Mais toutes les langues sont « de culture » si on sait les prendre, et si l'on donne à ce mot un sens un peu plus profond que « source inépuisable d'extraits de morceaux choisis ». A condition de dissocier culture et littérature de classe, sans jeu de mots. Il est absolument certain que dans les collèges ruraux, où règne une intimidation culturelle effrayante, pire que partout ailleurs, une étude sans contrainte et intelligente de la langue régionale de base donnerait aux enfants, dans un premier temps, la confiance en eux qui leur fait tant défaut. Sans compter la perspective historique, sociologique, économique qui en découle, ainsi que l'ouverture et la disponibilité qui en résulteraient par rapport à la langue française elle-même.

Soit dit en passant, l'étude des langues régionales créerait un « phénomène culturel » joliment plus sérieux que celui qui résulte d'une année scolaire braquée sur l'inventaire des appareils ménagers d'un logis britannique, à répertorier des arrêts d'autobus fantômes et s'inquiéter de l'heure qu'il est ou de la couleur du chapeau de la dame qui passe. Même si c'est un beau chapeau. — Une bonne connaissance de l'occitan par exemple constitue la meilleure préparation qui soit à l'étude de l'espagnol, de l'italien et du portugais, et par le débroussaillage du bilinguisme, à tout, au russe, j'en suis témoin — même à l'anglais!

Les ressources dans ce domaine sont infiniment plus vastes qu'on ne le croit. Pendant la guerre nous avions dans mon village un couple de « réfugiés » espagnols. Thomas avait fini, depuis 36, par apprendre un peu de français, sa femme non. Elle se ravitaillait dans les fermes en parlant espagnol et les vieilles femmes, qui étaient encore peu « francisées » à l'époque, lui répondaient en occitan. Elles s'étaient rendu compte qu'ainsi la communication s'établissait fort bien. J'ai moi-même trouvé par la suite les plus grandes facilités à apprendre en quelques mois et en dehors de toute scolarité suffisamment d'espagnol pour converser à peu près normalement et lire le journal sans trop d'effort. Il m'est même arrivé récemment de tenir par nécessité une longue conversation en portugais brésilien, alors que je n'en connais pas un seul mot, en utilisant au jugé un curieux mélange d'occitan et des quelques notions d'espagnol qui me restent. En fait le parleur d'occitan se trouve par rapport aux langues latines dans la position privilégiée qui est celle d'un Hollandais face à l'allemand, l'anglais et le danois, avec lesquels il jongle presque d'instinct. La différence c'est que l'Occitan, lui, loin d'en tirer aucun avantage intellectuel, l'ignore, et qui pis est en a honte!

Il est intéressant de noter qu'un agriculteur limousin

n'oserait plus aujourd'hui s'adresser à un Espagnol dans sa langue. Incommunication ou pas, il préférerait lui jouer une pantomime plutôt que de proférer un mot de « patois »! La culpabilisation a été rendue si forte que l'occitan refoulé ne peut plus servir qu'à des échanges limités à un groupe social restreint : celui de la famille et du voisinage immédiat. En conséquence, cette langue de base s'est tellement chargée affectivement que son usage en arrive à être réglé par une étrange notion de pudeur. L'utiliser en dehors de la communauté linguistique restreinte, en ville par exemple, provoque un sentiment de nudité intérieure qui équivaut quasiment à se déculotter en public! — C'est ce que j'appelle une « déculturisation » profonde, radicale, et scandaleuse!

J'ajouterai que dans le domaine pratique la perte chez les enfants du bilinguisme naturel à nos générations a eu le résultat inverse de celui que l'on avait fait miroiter aux populations rurales à qui l'on disait : « Ne lui parlez pas patois, ça le gênera pour apprendre à l'école. » — En fait on ne trouve pratiquement plus de ces élèves de la campagne « brillants en français » et promis par là à des études confortables si l'occasion se présentait, lesquels étaient relativement nombreux (ils ont fourni l'ensemble du personnel d'enseignement primaire en particulier) tant que nous nous sommes trouvés dans une situation diglossique identique à celle de Paquita : langage affectif distinct de la langue scolaire. Le même garçon « doué » voit aujourd'hui se rétrécir sa planche de salut : « Ils l'ont mis en technique parce qu'il est pas assez bon en français. En maths ça va, il marche bien; même en sciences, il a des bonnes notes... Même en anglais, voyez, ça lui plaît. Mais c'est ce français! Comme a dit la directrice : c'est son point faible! Autrement il aurait pu passer en C. » — En réalité, ayant perdu l'avantage linguistique que présentait la langue régionale, il se retrouve dans la même situation qu'un gosse de n'importe quelle banlieue ouvrière... C'est un aspect peu connu mais très réel de la prolétarisation du monde paysan. Si les Occitans se sont fait rouler? C'est rien de le dire : ils ont avalé toutes les couleuvres!

C'était une parenthèse pour demander poliment qu'on ne me fasse pas rire avec les exigences culturelles des promoteurs langagiers. Cela ne signifie nullement que je répudie l'anglais, au contraire. Mais est-il vraiment nécessaire de s'énerver autant? Ne pourrait-on concevoir davantage de souplesse dans l'organisation de tout ça?... Je veux dire dans la perspective d'une refonte totale de notre système d'enseignement où l'on n'aurait plus forcément *besoin* de faire asseoir les gosses devant nous tant d'heures par semaine parce que personne ne sait quoi en faire d'autre. Serait-il, dis-je, encore très grave, éminemment catastrophique, qu'un enfant ne soit pas intéressé par les langues étrangères dès l'âge de onze ans! Pourrait-on à la rigueur accepter qu'il le soit davantage à douze ou à treize? Ou bien concevoir qu'une manière d'apprendre le rebute et qu'une autre lui plaise mieux? Par exemple il existe des gosses très intuitifs qui apprennent fort bien d'oreille, à la mimique, mais qui ne supportent pas de rationaliser tout de suite ce savoir; d'autres au contraire ont besoin de comprendre d'abord, de saisir, cadrer, pour ne retenir qu'ensuite. Pourrait-on oser imaginer qu'au lieu de passer tout le monde à la même toise — ce qui, quelle que soit la technique employée, place automatiquement une partie de la classe dans une situation d'échec au départ —, on puisse appliquer différentes méthodes selon des aptitudes et des goûts différents ?

Là aussi nous nous sommes tellement battus pour imposer des langues vivantes, directement utilisables dit-on, par opposition au savoir livresque de naguère, que l'enseignement est devenu monolithique dans le sens inverse. Je ne sais pas ce qui en est pour les autres langues, mais notre zèle militant a transformé l'apprentissage de l'anglais en un concert de vocalises extrêmement surprenant.

Les progrès louables que nous avons fait depuis l'époque du Carpentier-Phialip et du ziz iz ze blaque-boârde, tendent à leur tour à nous déborder, à nous ensevelir dans des préoccupations de puristes assez ridicules par rapport à l'enjeu engagé. Nous usons notre énergie en roucoulements sucrés, en ronds de langues, en chuintantes démesurées. Cela — je le dis en passant — à la remorque d'une flopée d'acteurs londoniens de deuxième couvée, employés à bas prix par l'industrie audio-visuelle spécialisée, laquelle inonde le marché scolaire de leurs voix de ringards inemployés que nous prenons naïvement pour les modèles suprêmes du bien parler. « How delightful Missis Jones!... » Et nous, jobards, de nous extasier! De reprendre en cœur l'inflexion!...

En tout cas le seul anglais que nous voulions connaître

est le Standard English de la faculté. Au point que nous passons un temps déraisonnable à corriger la prononciation des gosses au détriment de toute expression cohérente et un tant soit peu spontanée. Nous sommes impayables! Nous en sommes venus à préférer une remarque totalement dépourvue d'intérêt assortie d'une belle intonation, à une réflexion intelligente dans une phrase un peu bancale mais parfaitement compréhensible et acceptée par n'importe quel Britannique. C'est un tic : dès que quelqu'un essaie d'ouvrir la bouche, nous l'arrêtons pour corriger une inflexion, une broutille. Au moindre balbutiement : Stop! Répète! Encore! Again! Allons-y! Recommence... Quand le mot a fini par sortir, à peu près calibré, le gosse a oublié la suite! Il n'a plus envie... Again! Again! Recommence! — L'école serait en flamme qu'on lui laisserait pas le temps de crier au secours!... Bref, nous empêchons les gens de parler.

Au nom de quoi?... Cet « anglais de la reine » — reine Victoria s'il vous plaît, pas Elizabeth! —, le seul phonétiquement reconnu chez nous, constitue tout de même, il faut le dire, un léger abus! Cette belle prononciation que nous révérons tant pour nos examens n'est après tout que l'accent avoué d'une classe sociale, inventé comme tel de toutes pièces au XIXe siècle en Grande-Bretagne pour distinguer la bonne société de l'autre. Un accent qui ne sente pas la sueur. Les Anglais parlent différemment. Ils ont l'accent du nord, du sud, du milieu. En dehors de la grande bourgeoisie — et quelquefois du personnel universitaire assimilé — personne ne parle comme nous voulons par-dessus tout que parlent nos élèves!

Ce perfectionnisme de façade auquel nous soumettons nos classes est positivement grotesque si l'on y regarde de près. Il n'y a pas que les belles images du manuel pour les plus jeunes : nous finissons, avec nos finasseries de palais, par donner un complexe souvent rédhibitoire à ceux-là mêmes que nous voudrions voir jaser.

Oh! et puis... Je m'égare! Je ne vais pas refaire l'histoire à moi tout seul! Nulle intention. Ni réinventer la pédagogie. J'ai perdu la foi salvatrice qui me portait sans cesse vers de nouvelles combines... Je ne veux pas proposer un système à qui que ce soit; j'ai fini par n'en avoir aucun. C'est pourtant la tendance irrésistible dans ce putain de métier : croire qu'on pourrait toujours faire autrement, et mieux, et plus rapide. On oublie que tout dépend en définitive de la personnalité de celui qui explique, que les gosses sont capables de faire merveille avec les méthodes les plus usagées pourvu que celui qui enseigne soit neuf et vif et léger... Et calme, et fort, et convaincant. Rayonnant à mouille chemise. C'est un acte sexuel l'enseignement ! A preuve la jalousie qui existe entre nous... C'est toujours l'autre qui fait moins bien : trop coulant, trop sévère. Nous voudrions secrètement que les enfants ne dussent leur savoir qu'à nous seuls.

On oublie aussi que les gosses c'est comme les pots de confiture. Vous savez, ceux qui se dévissent : souvent on essaye de toutes ses forces, on se crispe, on s'écorche la paume... Le truc a l'air bloqué. Et puis tout à coup, alors qu'on capitule, une légère pression des doigts, en tournant, et le couvercle vient tout seul! Cela, nous refusons d'en tenir compte, que l'enfant grandit, que ça prend du temps... Le talent c'est de les aimer.

Je ne connais guère que Deligny dans sa campagne qui ait compris quelque chose à l'éducation. Mais, pas fou, il n'éduque que les inéducables! Les autistiques abandonnés que la société ne risque pas de réclamer dare-dare pour cause de rendement urgent. Il est planqué le bougre, à flanc de montagne!

Moi je suis fatigué, tout simplement. Lassé de m'occuper d'enfants. C'est la rançon du séducteur... J'en ai trop aimé des mômes, environ trois mille je crois. Ça fait des tas de transferts d'affection et de haine mêlées que j'ai dû subir sans en avoir réellement la force... Chaque année, à chaque rentrée, je me dis : cette fois-ci je ne veux pas les connaître. Finis les salamalecs! Je ferai cours sans me soucier d'eux. Hautain et froid je serai... Je leur fais effectivement la gueule pendant une semaine ou deux. Je me refuse à apprendre leurs noms. Et puis un beau jour, comme ils sont sages mais un peu tristes, lâchement, je fais une pitrerie, une gentillesse... Il y a des sourires. C'est dur les sourires d'enfants. Je fonds comme un imbécile. Piégé cent fois! — Un mois plus tard je me retrouve embringué comme c'est pas possible. Je les connais. Je me fais du souci pour Un Tel, un autre. C'est reparti pour un tour!

Les vacances c'est l'oubli. D'abord la torpeur, puis l'émergence. Le retour au calme au mois d'août... Alors vient septembre et l'angoisse tout à coup reparaît. L'idée de la classe qui se rapproche. Le brusque serrement au ventre qui remonte vers la base du cou. Ça s'évanouit et ça recommence au bout d'un jour ou deux. Plus le temps passe et plus je me sens déprimé. L'angoisse s'installe, permanente, diffuse. Elle n'est plus localisable ni tout à fait consciente non plus. Elle est là; je deviens sans forces. L'école va recommencer... C'est comme ça à tous les coups. Au fur et à mesure que passent ces fameuses vacances, les semaines se comptent aux coups au ventre de plus en plus rapprochés.

La veille de la rentrée alors c'est la panique. Il faut faire un effort colossal pour se préparer au combat. Je ne sais pas, je n'ai pas fait la guerre, j'imagine pourtant que la perspective de monter en ligne a quelque chose de même nature — plus fort sans doute, n'exagérons pas pour faire bien! Quand c'est vos tripes elles-mêmes qui sont en jeu, la chanson doit être bien plus claire, l'air de *Viva la muerte* beaucoup plus aigrelet. Aller à l'école c'est sûrement du violoncelle à côté!... Pourtant si le bonhomme est faiblard, s'il n'a pas l'entrain et la santé, qu'il ait des soucis par ailleurs — ça arrive — que les vacances n'aient pas été le bain d'oubli qu'elles auraient dû être, l'idée de l'affrontement devient carrément pénible. C'est la forte angoisse qui laisse sans voix... C'est parfois la maison de santé.

J'avais un copain, il était tellement sensible à ce genre de musique qu'au matin de la rentrée 67 il a préparé son sac, ses affaires, mis son costume et sa cravate — c'était un jeune homme ordonné — et après une longue valse hésitation dans le gai matin de septembre, alors que les brumes cotonneuses montaient en flocons dans la vallée, après un dernier regard à sa montre, il a décroché son fusil de chasse et s'est tiré une cartouche en plein cœur. Du 12. Ça a fait une fameuse mare de sang au milieu du plancher. Les amis s'en souviennent encore... Ce fut sa façon à lui, Marcelin, d'échapper à toutes les rentrées.

Ça n'est pas toujours aussi tragique heureusement. Chacun sa peur. Marie-Françoise m'a conté la sienne. Bien après avoir appris l'alphabet dans sa soupe elle a fait un stage d'agrégation dans un grand lycée parisien. Sérieuse ambiance, ces lycées-là sont prestigieux, on n'y est pas à tu et à toi. Ils sont tout mâle ou tout femelle et portent des noms de rois, de grands ministres, de hauts penseurs et de poètes qui sont la crème de culture. Rien que leur titre inspire le respect... Bref, elle était là pour un mois, à faire ses premières armes comme on dit si judicieusement, sous une tutelle toute théorique car son professeur conseillé était parfois malade et absent. Elle se trouvait donc en situation de remplaçante plus que de stagiaire, avec ce que cela comporte de responsabilité et d'engagement.

Elle avait vingt et un ans, la joue rose, l'œil frais et le corps menu; c'est classique, on la prenait pour une élève. Les surveillantes l'interpellaient dans les couloirs, qu'elle n'avait pas la blouse réglementaire... Le quiproquo enchantait les gamines, les Cinquièmes qui l'adoraient. C'était la grande sœur dynamique et formidable, et d'humour léger. Elle a senti en quelques semaines l'affection des petites filles se refermer sur elle, comme un étau. Elle a eu peur... En première aussi c'était le grand jeu. La littérature... On s'enfonçait dans les écrivains fougueux, on visait légèrement hors programme, avec le frisson que ça donne de sortir des auteurs battus. Le futur brillant prof de lettres captivait de son talent

›récoce l'auditoire de demoiselles sensibles, bien édu-
juées de toutes parts. Pour un début, quoi, c'était un
lébut de valeur!... Et puis un jour, sur un texte bien
omantique, qui parlait de sauver son existence, voilà
ju'une des jeunes filles se met à pleurer. Une des très
›onnes élèves, touchée comme ça, par la grâce de l'expli-
:ation. Et sans doute à un niveau plus subtil par celle
le l'explicatrice... Ce fut le déclic.

Elle m'a expliqué, Mariè-Françoise, le choc que ça
ui a produit. La découverte imprévue de sa propre
›uissance sur les élèves. Puissance qui allait la lier à vie
ì des centaines, des milliers d'adolescentes à venir. Elle
'est cabrée. Comme consolation suave elle a donné à la
ille en pleurs un billet pour se rendre à l'infirmerie! —
Et elle a fui. Elle a carrément planté là le lycée, les petites,
es grandes... Et une agrégation qui se présentait sous
es meilleurs auspices. Vision d'épouvante, elle a déserté.
D'instinct... Elle avait compris en trois semaines ce que
'ai mis dix ans à entrevoir.

C'est pas donné à tout le monde. Il faut pouvoir.
Marie-Françoise avait derrière elle une éducation de
:hoc et vingt ans d'exercice de sa liberté. Je n'avais
jue le désir de tenir debout. En tant que normaliens,
ì Tulle, nous devions faire le patronage les jeudis après-
nidi, nous occuper des enfants des écoles. Il y avait
ın tour de rôle. C'était normal, le premier contact
ıvec notre profession. Des petits frottements d'appren-
is...

Un jour donc, ce devait être le deuxième ou le troi-
ıième jeudi d'octobre, j'ai suivi quelques anciens qui
:onnaissaient les lieux et les us. Il pleuvassait en tra-

versant la ville. On est arrivés en bas, au bord de la rivière, dans le quartier des usines. Les gosses nous attendaient dans une sorte de vaste hangar, un endroit immense et sinistre en béton épais. Ça grouillait de gamins hurlants entre quatorze et huit ans; il pouvait y en avoir deux cents comme deux mille, pêle-mêle, affairés, cognants. Il en arrivait toujours. Ils s'envoyaient des ballons en pleine figure en attendant les « activités », des coups de pied dans les guibolles... Un moniteur d'expérience hurlait un nom ou deux, guttural; je voyais des corps se redresser dans la bousculade. Je me demandais comment quelqu'un pouvait reconnaître quelqu'un. Le bruit était infernal. J'étais terrorisé.

On est restés longtemps, un bon quart d'heure à les regarder. De temps en temps un groupe de vigoureux gaillards marchait vers nous comme à la bataille : « Qu'est-ce qu'on fait aujourd'hui m'sieur ? » Les copains faisaient un geste vague, on attendait le responsable en chef... « C'est dommage qu'il flotte, on pourra pas jouer au foot hein m'sieur? » — J'avais trois ans de plus qu'eux mais la gorge me faisait mal à force d'être serrée. J'ai eu aussi ce jour-là mes premières douleurs de ventre, avec l'envie de fuir, forte, impérieuse... Je suis resté. Il fallait bien. On a dû leur montrer un film, sur un drap de lit, dans un vacarme épouvantable...

L'année suivante j'ai rencontré Dède, elle m'a embarqué avec ses louveteaux. C'était déjà plus abordable. Des petits groupes qui portaient le foulard noué, des tout jeunes, garçons et filles, polis, qui saluaient à la parade. On les promenait dans des grands prés hors de la ville, je me sentais un peu chez moi. Ils l'appelaient cheftaine, elle leur donnait des petits noms d'animaux. Elle les faisait asseoir en rond sous des arbres et on jouait à la chandelle, ou bien on chantait en chœur, en canon. C'était supportable... Dède et moi avions le même âge et elle était jolie. Elle lisait de longues histoires que je n'avais jamais connues, où il était question de la jungle, de Mowgli et de Bagheera. J'étais content...

Les enfants, c'est toujours à l'automne qu'ils vous tombent sous le nez, un peu avant les chrysanthèmes. Je n'en ai retrouvé que deux ans plus tard, dans une classe, un Fin d'études en banlieue de Clermont-Ferrand. Des enfants assis, rangés derrière leurs tables, disciplinés... C'est effrayant aussi, mais pas de la même façon. J'avais mûri, je m'étais instruit; ma peur était encore grande mais je commençais à sublimer.

Je leur ai fait de la lecture. J'avais appris à faire ronfler les nasales entre-temps, à ouvrir les « ais » comme un vrai Français, torcher l'intonation délicate, susurrante. C'était fortement cabotin mais ça les impressionnait, c'était l'essentiel. L'instit chez qui j'étais en stage, un vieux monsieur très doux au bord de la retraite, m'avait fait compliment. Il m'a dit que je serais un « excellent pédagogue ». A mes façons il le pressentait... Il était heureux de sentir qu'il y avait de l'avenir chez les jeunes, qu'il pouvait passer le flambeau tranquille... Il me regardait avec émotion. Je lui rappelais sûrement l'après-guerre... Celle de 14 bien entendu!

Un qui était beaucoup moins optimiste c'est le directeur de l'École normale. Aux leçons d'essai, devant le parterre des huiles et de la promotion complète, il était toujours chagrin. Rien n'allait exactement comme il voulait. On avait beau se fendre de présentations menues, tournées coquettes, le front suant, faire attention à la moindre lettre en écrivant sur le tableau — la craie se brisait entre les doigts tellement qu'on était appliqués — monsieur le Directeur faisait le difficile. « Oué... Je vouâ! » qu'il faisait en ôtant ses lunettes à ressort. Il avait une drôle de diction... — C'est Besson qui l'imitait bien; il en faisait un one-manchot, après, de ses scrupules!... — Un jour que j'étais content de ma performance il m'a dit que je m'écoutais parler. Là, il m'a scié!... Bien sûr qu'on s'écoutait parler! Tous! Rudement attentifs même au son de notre propre voix! A choisir nos paroles au plus fin dans cet amphithéâtre où les enfants venaient spécialement se faire donner la leçon. Ah le niaiseux! Les seuls qui s'écoutaient pas c'est ceux qui pouvaient pas s'entendre, tellement ils étaient verts de peur. Les camarades qui s'avançaient dans leurs propos comme dans un rêve, qui sortaient un mot pour un autre, que la lèvre supérieure leur tremblait, visible à dix mètres de toute la promo en gradins! Quand ils prenaient une feuille pour vérifier leur préparation, elle jouait feuillette, elle s'agitait entre leurs doigts comme un mouchoir pour les adieux!...

Que je le dise simplement : j'ai toujours eu très peur des mômes. Même aujourd'hui après tout ce temps. De leur violence profonde. De la mienne probablement, refoulée, transmuée en charme. Une trouille monstre, irraisonnée, déraisonnable, que je dissimule depuis vingt ans. Je fais le faraud, il le faut bien, mais je crois que la peur ne m'a guère quitté depuis ce jeudi lointain d'octobre où ils hurlaient sous le hangar.

On dit que les héros ont peur. On le voit partout dans les livres. Ils font dans leur culotte parfois, avant l'action, il paraît... Puis ils se lancent. Ils voient plus rien une fois lancés... Alors moi je dois être un héros. Je suis resté quand même... *A working class hero*, sans m'en apercevoir!

8

Des malhonnêtes profonds

J'apprends lentement, péniblement, à fermer ma gueule. J'en ai marre de bavarder, de tirer des plans sur la comète. Que d'autres folâtrent et inventent des nouveautés. Réforme de l'enseignement? Soyons francs : il faudrait d'abord refondre notre société.

C'est pourtant la mode des nouveautés! On nage dedans plus que jamais. Chaque année à présent on fait semblant de débloquer un coin du système pour le recoincer ailleurs. Depuis une douzaine d'années il n'est question que d'essais et de transformations. On se croirait au rugby! Un rugby pharamineux où les points, comme dans un rêve, ne sont jamais marqués. On change d'arbitre mais c'est la même partie qui continue, les mêmes joueurs... Les ministres de l'Éducation se succèdent et « attachent leur nom à une réforme ». Comme des chanteurs à un style. Autrefois on ne savait jamais tellement qui était le ministre. Il régissait de loin, anonyme, une affaire qui tournait. A présent ce sont tous des vedettes, ils font un foin énorme, ils passionnent les jeunes. Ils viennent danser à la télé.

Il y a eu les réformes Fouchet, Peyrefitte, Machin... Baccalauréat, plus de baccalauréat... Au début je lisais leurs intentions d'un bout à l'autre. Je pesais les avantages et les inconvénients. Je me mêlais aux conversations ardentes qui sont le sel des pédagos ; on frémissait pour tel aspect, on mesurait des conséquences... La nouvelle, je le confesse, l'actuelle réforme Haby, je ne l'ai pas lue. J'ai tort sans doute, il paraît que c'est la plus vicieuse... Je l'apprends par bribes, d'ouï-dire. J'entends qu'il sera question de ci, de ça... Examens ou pas, filières, « actions de soutien » ou coups de pied au cul. Franchement je m'en fous. J'ai sûrement tort, mais je suis trop las. J'ai tellement entendu de ces coups de clairon dans le désert, destinés à reformer les troupes, à nous redonner un poil de fringance, un brin d'espoir...

Par exemple, on ressort périodiquement le grand débat sur la façon de contrôler les connaissances. Les connaissances elles-mêmes on n'en parle jamais. Ce qui préoccupe c'est le contrôle continu par les professeurs, au fil des mois et des années, plus doux, plus juste car les maîtres connaissent en profondeur les possibilités réelles de leurs élèves, ou l'examen brutal en fin de cycle. — Grosse question ! Mais dans un cas comme dans l'autre on suppose que le prof est un petit saint infaillible, un tuteur impartial, un surhomme apte à « suivre et à conseiller », une vraie épatante merveille !... C'est beaucoup d'honneur — que nous nous faisons d'ailleurs à nous-mêmes. Pourtant s'il est facile de se gourer dans l'appréciation d'une copie d'examen, il l'est tout autant de méjuger de la « valeur » de quelqu'un qui vous est familier. C'est même plus terrible parce que ses propres élèves on croit les connaître dans l'absolu alors que tout ce que l'on connaît c'est leur capacité de réagir à *nous* et à *notre* enseignement. En fait, vu sous un certain angle, le contrôle continu c'est la plus insupportable entreprise de flicaille qu'on ait imaginé.

Et le gosse qui est livré un an, deux ans, à trois ou quatre tarés pas croyables parmi nos collègues très chers, à un quarteron de refoulés méchants? Si on en causait?... Ça n'existe pas? — Allons donc! On n'en parle pas par pudeur et solidarité corporative, mais il n'y a qu'à entendre les rumeurs des parents. Si l'on croit que tous les sadiques ont déserté la profession, on se met un tout petit peu le doigt dans l'œil!... Qu'on se rappelle simplement nos propres études! Je sais bien que les profs sont tous par définition d'anciens bons élèves qui ont su plier à tous les vents mais tout de même, tout super-roseaux que nous étions nous avons tous eu à subir au moins un ou deux monstres dans notre scolarité! De quoi sont faites les retrouvailles des anciens de tel ou tel lycée sinon des « tu te rappelles Chose? » ... Et toute la gamme des sévices qu'on voudrait pas que nos mômes à nous les approchent à des kilomètres ces oiseaux-là! Tous nos souvenirs sont peuplés de gégènes bedonnants, de cruels chauves, de zazos ringards, infatigables méchants à raviver les cauchemars! D'un tas d'histoires de fous quand on y songe, là, entre nous, bien posément... Ça n'a pas eu somme toute une grande importance? — Que vous dites! Pour vous peut-être, vous vous en êtes tiré, mais les autres? Tous ceux qui sont restés sur le carreau?...

Ce n'est pas nécessairement de la préhistoire. Les sévicieux existent toujours, ils sont là, autour de nous, la seule différence c'est que nous ne les voyons pas. Nous ne les fréquentons que dans la salle des profs, ça n'apparaît pas. Rappelez-vous comment vous avez été éconduit naguère, quand vous avez voulu vous plaindre d'un affreux. Comment les autres profs étaient surpris par vos réticences! — « Ce cher monsieur Trucmuche! Qui est pourtant si débonnaire! Vous exagérez sûrement!... » Tiens donc! la peau de vache! Il leur racontait des blagues à eux autres profs en coulisse. Il avait l'air inoffensif... Puis quand on est en position d'élève on exagère tout le temps, c'est bien connu.

Alors le contrôle continu avec ces oiseaux rares qui vous prennent un galapiat dans le nez dès la troisième heure de classe! Merci! — Je le vois bien mon bac à mention moi par exemple avec le contrôle continu! Surtout en première où j'ai acheté certains bouquins à Pâques. Surtout s'il avait fallu tenir compte de ma seconde où j'avais dormi tout le temps! S'il avait fallu l'avis de la Glène qui n'en finissait pas de s'étonner de me voir chauffer les bouteilles d'acide sulfurique sur la paillasse pour faire rigoler les copains!

Le respect de l'individu c'est peut-être bien après tout l'examen. Mais alors sérieux, approfondi, pas pile ou face! Pas laissé au hasard de dix minutes d'entretien hâtif avec le premier bizarre venu. Un examen qui n'ait pas honte de l'être, avec double et triple correction obligatoire sur des épreuves très étudiées, et pas en forme de devinettes, qui permettent de dire simplement : Un Tel a acquis dans tel domaine tel niveau de connaissances. Un point. Comment les a-t-il acquises? Ça le regarde. Qu'il ait bûché deux ans ou deux mois, selon ses goûts, son temps, ses possibilités, son âge, voire son métier, là n'est pas la question. La seule question est de savoir si oui ou non il faut les contrôler ces fameuses connaissances.

Personnellement j'ai toujours mieux appris dans les livres qu'en écoutant un bonhomme raconter des choses. Surtout en certains domaines. J'ai besoin de réfléchir, de rêver, de m'inventer ma façon de comprendre, me faire mes propres images, mes idéogrammes personnels. Ceux que me propose l'explicateur en personne ne me conviennent pas forcément. Souvent même sa présence me gêne pour réfléchir. Ça me distrait un prof, ça a des mains qui remuent partout, des bras, des jambes. Il fait toujours penser à autre chose qu'à ce qu'il dit. Y a son pantalon qui bouchonne — ou sa jupe, c'est encore pire —, son crâne, sa mèche, sa barbe, sa bouche, sa verrue... C'est un homme quoi — ou une femme! En plus, quand il pérore ou qu'il menace, qu'il charme, qu'il s'inquiète... C'est difficile de bien savoir ce qu'il raconte. On est distrait. Sans blague... J'en ai eu des mômes devant moi, des petites filles en sixième tout sourire et yeux écarquillés qui suivaient mes gestes, ravies, et puis qui savaient jamais quoi répondre. « C'est que, monsieur, ça m'amuse tellement ce que vous faites que je comprends rien à ce que vous dites! » — Bien fait pour ma poire, gesticulateur!... Les petits, si on est copains, ils arrivent encore à vous dire ce qui cloche; mais par la suite... Cause toujours!

D'autre part, il n'y a tout de même pas que des énergumènes, ça n'est tout de même pas la majorité. Mais que dire des braves pères et mères bien polis, bien aimables et indulgents dont la voix vous endormirait un sac de puces? Ça existe aussi. J'ai connu un professeur d'histoire qui était comme ça, très doux, très courtois, qui avait une voix filée, un ton égal, soporifique à un point que les yeux se fermaient tout seuls. Et c'est dur quand les yeux se ferment à une table! J'en parle en toute connaissance : on a envie de s'allonger tout à fait, au moins de s'affaler sur la table, et on ne peut pas... Il faut garder les apparences. Alors peu à peu ce sont des douleurs partout... J'ai tout essayé, en divers lieux et circonstances, toutes les positions de calage, le coude, le poing sous le menton, les deux poings... Toujours à un moment ça glisse, ça dodeline. On se défait comme un château de cartes douloureux. Faut se ressaisir en vitesse, se recaler... Un supplice! J'ai même porté des lunettes noires un certain temps — ça aide; c'est pas le Pérou.

Encore ce prof dont je parle je ne l'ai eu que quelques heures. En tant qu'élèves-maîtres on nous avait donné tous les meilleurs profs du lycée où nous étions accueillis. Des chanceux, c'est vrai. Notre prof d'histoire à nous par contre était brillant comme quatre, un personnage quasi fantastique, il aurait réveillé un mort! Il le réveillait d'ailleurs, des pharaons à Robespierre, ma parole, il les convoquait en classe, le cours se faisait en leur historique présence. Il nous a tous marqués ce maître-là. On le suivait dans les couloirs pour en savoir davantage; la blouse au vent il avait toujours une escorte sur les galeries, jusqu'à l'entrée de la salle des profs... « Bon!

bon! C'est fini! » — il arrivait pas à se dépêtrer certains jours. Il était obligé de semer la marmaille, les petits de sixième, c'était la classe entière qui le suivait. Ils le lâchaient plus, tous les trente, ça trottinait derrière : « M'sieur! M'sieur! » ... Pensez! Ils avaient pas eu la fin de l'histoire, il leur emportait Cléopâtre, ils cavalaient pour lui arracher des miettes encore, même les plus frêles maigrichons à ses basques. Lui filait devant, il avait de grandes jambes, il les distanciait dans les angles : « Oui! Oui! Demain, demain! » ... On se marrait. On l'appelait en douce Fend-la-Bise...

C'est rare. Une exception totale. Un très grand professeur. J'en ai gardé le goût de l'histoire et du raisonnement... Mais je pense à ceux qui devaient subir l'endormeur, l'homme à la voix de vélomoteur, bien-disant avec son parapluie et son chapeau. Contrôle continu avec de pareils zigues? Il faudrait, en outre, savoir ce qu'ils ont dit et conté! Continûment au fil des semaines, des années?... Allons! On est bien obligé de prendre un bouquin après, si l'on veut savoir quelque chose.

Le contrôle continu est un rêve de flic, pas un souci d'éducateur. Mais il flatte notre manie à nous de vérifier, de noter, de récompenser... D'exercer notre pouvoir. On se prend facilement pour le pape dans ce métier. Malgré les vastes différences qui existent de l'un à l'autre, nous avons tendance à nous croire tous infaillibles. On ferait des bulles si on osait... Parce que nous avons besoin de cette sécurité, de ce sentiment d'avoir raison, qui nous donne la force de continuer, au jour le jour, la besogne. De faire face avec arrogance aux parents d'élèves aussi, quand ils viennent timidement s'enquérir et si rarement contester. Eh oui! Si par malheur on nous les déracine, nos certitudes, on est bien peu de chose! L'exercice de la profession ne devient plus guère possible.

— Pourquoi vous m'engueulez pas m'sieur?...

Je pense à Maud, à sa surprise... Que j'étais pas catégorique et cassant. Je n'ai pas su lui faire la seule réponse finalement qui s'imposait : Parce que je ne crois plus à rien.

Les Transitions, à propos, on les supprime à ce qu'il paraît, dans la nouvelle réforme! Ils ont fini par être trop voyants. A se balader comme ça dans les couloirs, pépères... Gouailleurs la plupart du temps! Culottés comme c'est pas permis de l'être, tutoyant parfois leurs supérieurs!... Rayés des listes! On n'en veut plus! Ils prêtaient le flanc à critique au sein des établissements. N'ayant plus de bonnes notes à perdre, ils disaient souvent ce qu'ils pensaient : qu'ils appartenaient à une autre classe. Oh là là! C'est dangereux ça, si jeunes! Qu'est-ce que ça risque de devenir!... Vous voyez pas Marc et puis Régis, qui avait envie de tuer du monde de toute façon, dans quelques années le poing levé, chanter quelque part un air connu où il est question de classe et de genre humain?... La mauvaise graine! Il suffirait qu'ils aient eu un ou deux profs revenus des agapes comme il commence à en exister... Des profs de chant choral et de lutte finale!

Déjà j'ai vu mon petit Hugues l'autre jour, un ancien à moi qui a dérapé en cinquième. Il a dix-sept ans maintenant, on se rencontre comme ça entre deux trains quand il part vers son CET, dans une autre banlieue, loin vers l'est, ou qu'il revient le vendredi avec sa petite mine, les traits tirés. Il est pas très costaud Hugues, il a eu du mal à grandir... On se dit bonjour sur le quai de la gare, il m'entretient de ses soucis. L'autre soir, il m'a dit que, dans sa boîte, la discipline est très serrée. Puis il a ajouté tranquillement :

— On est des ouvriers, ils nous apprennent à fermer notre gueule.

Y a sa prof de français qu'est sympa il paraît... Ils préparent un tract ensemble en ce moment, il m'a dit.

Heureusement qu'ils vont plus exister non plus les CET! Ils vont devenir des Lycées d'Enseignement Professionnel! Tel que je vous le dis ma chère! Des LEP!... Nom de dieu, on se mouche pas du coude cette fois-ci au ministère! — Vous vouliez des lycées, mes lapins? Vous étiez jaloux des autres protégés? C'est ça hein? L'égalité des chances?... Eh bien mais qu'à cela ne tienne! On va vous rebaptiser tout le saint-frusquin! Lycées vous aurez! Il suffisait d'y penser!

Le plus curieux c'est que j'y ai été moi en CET, y a longtemps, après mon certif... Après-guerre. Ça se nommait alors Centre d'Apprentissage, clairement. C'était mon départ dans la vie... Je n'y suis pas resté longtemps, quelques mois, à la lime bâtarde et à l'étau. J'aimais bien. Mais on avait des difficultés financières, à cause de la pension. J'ai pas pu rester... Plus tard, j'ai mis des années avant de pouvoir rentrer dans un atelier. A cause de l'odeur de l'huile. Je reniflais en passant devant les portes ouvertes, dans les villes, il m'en venait des bouffées... L'odeur de l'huile et de la limaille de fer mélangées. Je n'arrivais pas à passer les portes de ces endroits-là à l'époque, même pour jeter un œil... Je lisais Racine et Stendhal. J'étais devenu délicat. Disons que j'avais fui mon destin, alors je n'avais qu'une trouille : celle de me faire rattraper... « La raison en est que des gens qui se sont élevés de fraîche date au-dessus du niveau des travailleurs manuels redoutent de retomber dans un ancien milieu qu'ils méprisent un peu, ou tout au moins de paraître encore en faire partie... Pour les gens de condition même modeste qui ont une fois dépassé ce niveau social, c'est une obligation insupportable que d'y retomber pour quelques instants. » — Oui, c'est à peu près ça. Fine analyse psychologique! Et n'allez pas croire : Elle est de qui la citation?... D'Adolphe Hitler lui-même, in *Mein Kampf* et tout le fourbi!

N'empêche que Hugues il va encore louper la marche : y a des gens comme ça qu'ont pas de pot. Il ne sera jamais lycéen, il n'a plus qu'un an à s'instruire. Oh ça ne prendra pas sur les mômes, mais ça fera plaisir aux parents, ceux qui n'y ont jamais mis les pieds, au lycée. Ils seront un moment honorés, le temps d'une législature... Et pour les profs quel soulagement! Ce sera quand même moins tarte pour les orientations. Finies les longues sessions persuasives, que le petit, l'est pas capable... Surtout à cause du français... Ça va rudement nous faciliter le bagout :

— Ne vous inquiétez pas, il entre au lycée.

— Ah bon?

— Oui, oui... En section Gamma, ou Bêta prime. C'est ce que nous lui conseillons.

— Ah!... Bon...

Ine ze poquète! Pères et mères enveloppés! ... Quels cochons nous sommes d'accepter de pareilles traîtrises!

Et ça n'est pas, en plus, par mauvaise pensée... Même le ministre, j'en suis sûr, voudrait que cela fonctionne. Que ça tourne enfin rond et qu'on lui foute la paix, hors des remous, qu'on lui tresse des couronnes de fleurs et qu'il reste à jamais ineffaçable dans le souvenir de ses contemporains pour service rendu à la patrie capitaliste. « L'enseignement doit être le même pour tous », déclare-t-il. C'est généreux. C'est un beau rêve. Il doit y croire, au moins à moitié... Et pourquoi se rendrait-il compte après tout quand les enseignants eux-mêmes n'y voient goutte, alors qu'ils ont en permanence le nez sur le chaudron?

Elle n'est ni méchante ni sotte la prof de français qui donnait l'autre semaine à une classe de quatrième la narration que je vous cite : « Vous avez aimé un livre qui vous a fourni “ une réserve de songes ”. Écrivant à un ami pour l'engager à le lire, vous essaierez d'analyser le plaisir que vous avez éprouvé et de dire l'influence que ce livre a eue sur vous. » Textuel : pour des chérubins de treize, quatorze ans nourris à la bande dessinée... Elle ne l'a pas inventé ce formidable sujet. Elle l'a pris sur un livre en usage, où personne ne songe à voir malice. Elle est une enseignante de haute volée, une servante tout ce qu'il y a d'irréprochable. Sa rédaction fait suite à un texte étudié, tout ce qu'il y a de recommandable d'introduction circonstanciée ! Il vient en prolongement à une belle page de Jean Guéhenno sur le plaisir de la lecture quand il avait, lui, quatorze ans. Tous les écrivains un jour ou l'autre se sont mis à raconter leurs douillettes lectures d'enfants. Grosse tradition de la culture!... Ce qu'on oublie de préciser c'est que Guéhenno en l'occurrence, il avait quatorze ans en 1904! C'était la mode alors des « réserves de songes », au temps des fiacres et des lampes à pétrole!

N'empêche qu'ils étaient bien marron les gosses avec leur sujet sur les bras. Ils le montraient, perplexes, quêtant une idée, un secours... « Écrivant à un ami... » Tu parles! On les voit les mêmes à treize ans tapant la bafouille à Popol pour lui faire un récit littéraire! — Quel gamin actuel oserait écrire pour de vrai une pareille missive à son copain, sa copine? Réellement la poster, avec un timbre? ... Pas plus de quelques-uns sur tous les millions et toutes classes sociales confondues! Quelques paumés, enfants d'un autre âge. Des petites filles peut-être dans quelque couvent, s'il en existe encore, soumises aux songes parce que c'est bien « dans leur nature »...

D'autant que le style, attention! A la rigueur si ça pouvait commencer comme dans la vie : « Dis, Popol, l'autre jour j'ai lu un bouquin... » Aïe! Ah l'assassin! ... Ah! L'odieuse tournure! ... Non, mille fois! — Il est censé « analyser le plaisir » sur un autre ton l'enfant, avec un autre langage, des mises en formes de derrière les dentelles du genre : « Mon cher Paul, je rêvais l'autre jour à l'étrange plaisir que donne la lecture... », ou bien, plus allant : « A peine le livre refermé sur sa dernière page, j'éprouve un impérieux désir, mon ami... » C'est comme ça qu'il doit causer dans la lettre, s'il veut pas écoper les « gauche, incorrect, et mal dit »... S'il veut pas écorner sa moyenne, et se retrouver la gueule en LEP, au bout du rouleau. C'est là-dessus que se fait la sélection, sur cette mouture aux songes. — « En français ça ne va pas très fort... » — Pardi !

Je dis que donner un pareil sujet de devoir à des enfants de treize et quatorze ans, où que ce soit en France, en 1976, c'est de l'incitation à la délinquance ! Délinquance intellectuelle, la plus néfaste, menterie de haut vol. Les gamins, les gamines qui, aujourd'hui, sont capables de rédiger une telle lettre pour faire plaisir à leur professeur, de tricher à ce point avec eux-mêmes pour la note docile, deviennent à brève échéance des malhonnêtes profonds. Et il y en a bien sûr, on en trouve ! Suffisamment pour faire avancer la machine. On les retrouve, plus tard, à des postes de confiance, ces avaleurs de culturelles sornettes. Ils sont sérieux. Ils font plaisir à leurs patrons comme ils ont fait plaisir à leurs maîtres. Ce ne sont pas des contrariants. Pas eux qui risquent de jouer les trouble-fête ! L'échine souple au vent d'en haut, la gueule de fer à celui d'en bas. Ils sont responsables. Toujours prêts, serviables, bien notés... Ils ont pris au lycée de « bonnes habitudes ».

J'en ai vu un l'autre jour d'allure particulièrement typique. J'avalais un couscous, tranquille, dans un troquet spécialisé, quand ils sont venus s'asseoir à la table à côté, lui et sa femme, et une amie de celle-ci. A l'heure de midi il faisait un « break » entre deux affaires... Bien rasé, cravate, petites lunettes à monture légère, costume gris à fines rayures, avec gilet à boutons noirs.

Ce qu'il faut de cheveux sur la nuque pour faire encore jeune, mais pas trop; les mains soignées... Énergique aussi, mais sans brutalité : la fermeté sur un fond de gentillesse, pas du tout outrecuidant. Pas la fortune non plus, mais les beaux émoluments du cadre en pleine ascension... Je le « sentais » très bien ce type, il avait mon âge à peu près. Je les ai vus partir au Maghreb ces enfants de putains-là...

Il en parlait justement, à cause du couscous, ça va de soi. La conversation est partie là-bas. La voix ferme et gentille, pendant que sa femme le servait avec des petits gestes fiers, attentifs, de celle qui sait ce qu'il aime...

— ... J'y ai vécu trois ans là-bas... Enfin, vingt-huit mois comme tout le monde. Hé oui! La région d'Alger... Je suis parti deuxième classe et je suis revenu lieutenant!

Sans ostentation, juste pour expliquer à la copine qu'il ne connaissait pas très bien. Sa femme lui a étalé des carottes sur sa semoule; pas trop de légumes...

— J'ai tout vu. J'ai vu la vie! ...

La petite moue qui en dit long. Que la vie c'est pas des bagatelles, des utopies... C'est pas à lui qu'on peut essayer de la faire aujourd'hui, avec son expérience. Ça valait quand même la peine d'aller là-bas, l'armée ça endurcit... Le serveur berbère a apporté la viande et les merguez.

— J'ai tout fait là-bas. J'ai même été gérant d'un bordel!

Petits rires... On dirait pas hein? Les dames qui ne demandent qu'à en savoir davantage, la fourchette portée à la bouche avec grâce et lenteur. Oh il n'est pas faraud, il a des hochements de tête attristés. Il l'a fait, mais c'était moche. Il se rend compte... Moche mais impératif aussi : l'assouvissement du guerrier, c'est obligatoire. La vie, après tout, c'est comme ça...

— Oui, c'était affreux au fond... Des gamines de quinze à seize ans. On allait les rafler dans les Douars. On les amenait, il passait quarante types dessus dans la nuit...

Il trouve en effet que c'était pénible. Mais sur un ton de bonne compagnie, comme celui qui n'a jamais refusé une mission. Et qui même, sur le moment... Il était lieutenant, ça donne des obligations... Les Douars — je pensais à Colette... Est-ce qu'elles faisaient « Saha ! Saha ! » aussi les jeunes mouquères dépucelées par quarante soldats ? « Fleurs du désert, pétries d'argile blonde »... Ah là là !

Tout à coup je l'ai vu, lui qui avait vu la vie, avec sa face d'honnête homme et son costard rayé, sa tête quand il était gamin, au lycée... J'imaginais le bon élève, pas excellent mais sérieux, travailleur... C'est une manie que j'ai, un tic para-professionnel, de replacer les gens dans leur enfance, d'imaginer leur tête quand ils avaient dix ou douze ans... Les anciens regards d'avant-rides. Je le voyais bien, lui, avec ses petites lunettes de bon garçon et ses bulletins encourageants à la fin des trimestres. Il n'aurait pas pipé pour la rédaction... Il aurait composé sa lettre : « Cher ami, je t'écris pour te parler du livre que je viens de lire... » Pas quatre pattes à un canard son récit, mais de bonne volonté : « Devoir passable. Il aurait fallu insister davantage sur l'*influence* que le livre a eue sur vous. Attention aux maladresses de style... » A l'encre rouge à l'en-tête de la copie. — Il ferait mieux la prochaine fois. Il tiendrait compte des remarques...

C'est ainsi que de docilité en docilité, on devient un jour gérant de bordel en Algérie, même si ça surprend. Même si ça gêne un peu sur les bords... Ces petits-bourgeois à dégueuler c'est nous qui les formons. C'est la prof de français aux réserves de songes, qui suit les manuels et les programmes, et qui forge de profonds malhonnêtes en toute simplicité.

Mes voisins cherchaient du regard quelque chose... J'allais pas les contrarier. J'aime pas embêter les gens.

Je leur ai fait un sourire aimable, de celui qui n'écoute pas mais qui entend, forcément, table à table... Je leur ai passé la harrissa.

— Merci.

— Je vous en prie...

J'ai remis le nez dans mon assiette, discrètement... Je pensais à Ghamia que j'ai eue en quatrième. Elle était kabyle et formidablement belle pour ses quinze ans. Je pensais à Maud, je revoyais son sourire, son œil narquois... Stephen qui disait calmement : ceux qui sont capables de faire des choses les font... J'ai repris un peu de légumes pour arroser mon mouton.

Elle avait peut-être raison Maud, avec ses envies de catastrophe, la guerre soudain qu'elle souhaitait... Je me disais ça aussi. Peut-être qu'ils la feront un jour eux-mêmes, pour se donner des sensations. Ils se mettront à courir dans les rues, ils se cacheront dans des caves... Y aura des soldats partout, des sirènes... La guerre...

Ils s'amuseront bien : ils l'appelleront révolution.

Table

1. Les bordels d'Hambourg 11
2. Fleur du désert 31
3. La soupe aux bourgeois 53
4. Une casserole à la queue d'un chien 75
5. Ni flèches ni écriteaux 101
6. Le manteau de la gamine 119
7. A working class hero 145
8. Des malhonnêtes profonds 169

FIRMIN-DIDOT S.A. PARIS-MESNIL (9-80)
D.L. 1er TR. 1979. No 5076-3 (6860)

Collection Points

SÉRIE ACTUELS

A1. Lettres de prison, *par Gabrielle Russier*
A2. J'étais un drogué, *par Guy Champagne*
A3. Les Dossiers noirs de la police française *par Denis Langlois*
A4. Do It, *par Jerry Rubin*
A5. Les Industriels de la fraude fiscale, *par Jean Cosson*
A6. Entretiens avec Allende, *par Régis Debray* (épuisé)
A7. De la Chine, *par Maria-Antonietta Macciocchi*
A8. Après la drogue, *par Guy Champagne*
A9. Les Grandes Manœuvres de l'opium *par Catherine Lamour et Michel Lamberti*
A10. Les Dossiers noirs de la justice française *par Denis Langlois*
A11. Le Dossier confidentiel de l'euthanasie *par Igor Barrère et Etienne Lalou*
A12. Discours américains, *par Alexandre Soljénitsyne*
A13. Les Exclus, *par René Lenoir*
A14. Souvenirs obscurs d'un Juif polonais né en France *par Pierre Goldman*
A15. Le Mandarin aux pieds nus, *par Alexandre Minkowski*
A16. Une Suisse au-dessus de tout soupçon, *par Jean Ziegler*
A17. La Fabrication des mâles *par Georges Falconnet et Nadine Lefaucheur*
A18. Rock babies, *par Raoul Hoffmann et Jean-Marie Leduc*
A19. La nostalgie n'est plus ce qu'elle était *par Simone Signoret*
A20. L'Allergie au travail, *par Jean Rousselet*
A21. Deuxième Retour de Chine *par Claudie et Jacques Broyelle et Evelyne Tschirhart*
A22. Je suis comme une truie qui doute, *par Claude Duneton*
A23. Travailler deux heures par jour, *par Adret*
A24. Le rugby, c'est un monde, *par Jean Lacouture*
A25. La Plus Haute des solitudes, *par Tahar Ben Jelloun*
A26. Le Nouveau Désordre amoureux *par Pascal Bruckner et Alain Finkielkraut*
A27. Voyage inachevé, *par Yehudi Menuhin*
A28. Le communisme est-il soluble dans l'alcool? *par Antoine et Philippe Meyer*
A29. Sciences de la vie et Société *par François Gros, François Jacob et Pierre Royer*
A30. Anti-manuel de français, *par Claude Duneton*
A31. Cet enfant qui se drogue, c'est le mien *par Jacques Guillon*

A32. Les Femmes, la Pornographie, l'Érotisme
par Marie-Françoise Hans et Gilles Lapouge
A33. Parole d'homme, *par Roger Garaudy*
A34. Nouveau Guide des médicaments
par le Dr Henri Pradal
A35. Rue du Prolétaire rouge, *par Nina et Jean Kéhayan*
A36. Main basse sur l'Afrique, *par Jean Ziegler*

SÉRIE ROMAN

R1. Le Tambour, *par Günter Grass*
R2. Le Dernier des Justes, *par André Schwarz-Bart*
R3. Le Guépard, *par G. T. di Lampedusa*
R4. La Côte sauvage, *par Jean-René Huguenin*
R5. Acid Test, *par Tom Wolfe*
R6. Je vivrai l'amour des autres, *par Jean Cayrol*
R7. Les Cahiers de Malte Laurids Brigge
par Rainer Maria Rilke
R8. Moha le fou, Moha le sage, *par Tahar Ben Jelloun*
R9. L'Horloger du Cherche-Midi, *par Luc Estang*
R10. Le Baron perché, *par Italo Calvino*
R11. Les Bienheureux de La Désolation, *par Hervé Bazin*
R12. Salut Galarneau!, *par Jacques Godbout*
R13. Cela s'appelle l'aurore, *par Emmanuel Roblès*
R14. Les Désarrois de l'élève Törless, *par Robert Musil*
R15. Pluie et Vent sur Télumée Miracle
par Simone Schwarz-Bart
R16. La Traque, *par Herbert Lieberman*
R17. L'Imprécateur, *par René-Victor Pilhes*
R18. Cent Ans de solitude, *par Gabriel Garcia Marquez*
R19. Moi d'abord, *par Katherine Pancol*
R20. Un jour, *par Maurice Genevoix*
R21. Un pas d'homme, *par Marie Susini*
R22. La Grimace, *par Heinrich Böll*

SÉRIE MUSIQUE

dirigée par François-Régis Bastide

Mu1. Histoire de la danse en Occident, *par Paul Bourcier*
Mu2. L'Opéra, t. I, *par F.-R. Tranchefort*
Mu3. L'Opéra, t. II, *par F.-R. Tranchefort*

SÉRIE HISTOIRE

H1. Histoire d'une démocratie : Athènes des origines à la conquête macédonienne, *par Claude Mossé*
H2. Histoire de la pensée européenne 1. L'éveil intellectuel de l'Europe du IXe au XIIe siècle *par Philippe Wolff*
H3. Histoire des populations françaises et de leurs attitudes devant la vie depuis le XVIIIe siècle, *par Philippe Ariès*
H4. Venise, portrait historique d'une cité *par Philippe Braunstein et Robert Delort*
H5. Les Troubadours, *par Henri-Irénée Marrou*
H6. La Révolution industrielle 1780-1880, *par Jean-Pierre Rioux*
H7. Histoire de la pensée européenne 4. Le Siècle des Lumières, *par Norman Hampson*
H8. Histoire de la pensée européenne 3. Des humanistes aux hommes de science, *par Robert Mandrou*
H9. Histoire du Japon et des Japonais 1. Des origines à 1945, *par Edwin O. Reischauer*
H10. Histoire du Japon et des Japonais 2. De 1945 à 1970, *par Edwin O. Reischauer*
H11. Les Causes de la Première Guerre mondiale, *par Jacques Droz*
H12. Introduction à l'histoire de notre temps. L'Ancien Régime et la Révolution, *par René Rémond*
H13. Introduction à l'histoire de notre temps. Le XIXe siècle *par René Rémond*
H14. Introduction à l'histoire de notre temps. Le XXe siècle *par René Rémond*
H15. Photographie et Société, *par Gisèle Freund*
H16. La France de Vichy (1940-1944), *par Robert O. Paxton*
H17. Société et Civilisation russes au XIXe siècle, *par C. de Grunwald*
H18. La Tragédie de Cronstadt (1921), *par Paul Avrich*
H19. La Révolution industrielle du Moyen Age, *par Jean Gimpel*
H20. L'Enfant et la Vie familiale sous l'Ancien Régime, *par Ph. Ariès*
H21. De la connaissance historique, *par Henri-Irénée Marrou*
H22. Malraux, une vie dans le siècle, *par Jean Lacouture*
H23. Le Rapport Khrouchtchev et son histoire, *par Branko Lazitch*
H24. Le Mouvement paysan chinois (1840-1949), *par Jean Chesneaux*
H25. Les Misérables dans l'Occident médiéval, *par Jean-Louis Goglin*
H26. La Gauche en France depuis 1900, *par Jean Touchard*
H27. Histoire de l'Italie du Risorgimento à nos jours, *par S. Romano*
H28. Genèse médiévale de la France moderne, XIVe-XVe siècle *par Michel Mollat*
H29. Décadence romaine ou Antiquité tardive? IIIe-VIe siècle *par Henri-Irénée Marrou*
H30. Carthage ou l'Empire de la mer, *par François Decret*
H31. Essais sur l'histoire de la mort en Occident du Moyen Age à nos jours, *par Philippe Ariès*

H32. Le Gaullisme (1940-1969), *par Jean Touchard*
H33. Grenadou, paysan français, *par E. Grenadou et A. Prévost*
H34. Piété baroque et Déchristianisation en Provence au XVIIIe siècle *par Michel Vovelle*
H35. Histoire générale de l'Empire romain
1. Le Haut-Empire, *par Paul Petit*
H36. Histoire générale de l'Empire romain
2. La crise de l'Empire, *par Paul Petit*
H37. Histoire générale de l'Empire romain
3. Le Bas-Empire, *par Paul Petit*
H38. Pour en finir avec le Moyen Age, *par Régine Pernoud*
H39. La Question nazie, *par Pierre Ayçoberry*
H40. Comment on écrit l'histoire, *par Paul Veyne*
H41. Les Sans-culottes, *par Albert Soboul*
H42. Léon Blum, *par Jean Lacouture*
H43. Les Collaborateurs, *par Pascal Ory*
H44. Le Fascisme italien (1919-1945) *par Pierre Milza et Serge Berstein*
H45. Comprendre la révolution russe, *par Martin Malia*
H46. Histoire de la pensée européenne
6. L'ère des masses, *par Michael Biddis*

Nouvelle histoire de la France contemporaine

H101. La Chute de la monarchie (1787-1792), *par Michel Vovelle*
H102. La République jacobine (1792-1794), *par Marc Bouloiseau*
H103. La République bourgeoise de Thermidor à Brumaire (1794-1799), *par Denis Woronoff*
H104. L'Épisode napoléonien (1799-1815). Aspects intérieurs *par Louis Bergeron*
H105. L'Épisode napoléonien (1799-1815). Aspects extérieurs *par J. Lovie et A. Palluel-Guillard*
H106. La France des notables (1815-1848). L'évolution générale *par André Jardin et André-Jean Tudesq*
H107. La France des notables (1815-1848). La vie de la nation *par André Jardin et André-Jean Tudesq*
H108. 1848 ou l'Apprentissage de la République (1848-1852) *par Maurice Agulhon*
H109. De la fête impériale au mur des fédérés (1852-1871) *par Alain Plessis*
H110. Les Débuts de la troisième République (1871-1898) *par Jean-Marie Mayeur*
H111. La République radicale? (1898-1914), *par Madeleine Rebérioux*
H112. La Fin d'un monde (1914-1929), *par Philippe Bernard*
H113. Le Déclin de la troisième République (1929-1938) *par Henri Dubief*
H114. De Munich à la Libération (1938-1944), *par J.-P. Azéma*